直升机和无人机协同态势感知、评估及可视化技术

王晓卫　王旭东　编著

哈爾濱工程大学出版社
Harbin Engineering University Press

内容简介

全书内容分为3部分，共7章。第一部分（第1章）首先给出了直升机和无人机协同概念、作战模式；其次，以国外陆、海、空军直升机和无人机协同发展历程为主线对直升机和无人机协同的国外现状及关键技术进行梳理；再次，对直升机和无人机协同所需的态势感知能力的作用进行分析。第二部分（第2～5章）重点围绕与直升机和无人机协同态势感知所需的目标检测、分类和识别算法，战场目标威胁态势建模方法以及威胁排序等关键技术进行介绍。第三部分（第6，7章）对直升机和无人机态势感知可视化系统的设计准则、要素、实现方法进行介绍，并对所构建典型直升机和无人机协同感知可视化系统进行描述。

本书可供部队院校特别是从事直升机和无人机协同技术研究的科研人员参考使用。

图书在版编目（CIP）数据

直升机和无人机协同态势感知、评估及可视化技术／王晓卫，王旭东编著．—哈尔滨：哈尔滨工程大学出版社，2021.12
ISBN 978-7-5661-3315-1

Ⅰ．①直… Ⅱ．①王… ②王… Ⅲ．①直升机－无人驾驶飞机－协同作战－研究 Ⅳ．①E926.396

中国版本图书馆CIP数据核字（2021）第236282号

直升机和无人机协同态势感知、评估及可视化技术
ZHISHENGJI HE WURENJI XIETONG TAISHI GANZHI PINGGU JI KESHIHUA JISHU

选题策划 田 婧
责任编辑 唐欢欢
封面设计 李海波

出版发行 哈尔滨工程大学出版社
社　　址 哈尔滨市南岗区南通大街145号
邮政编码 150001
发行电话 0451-82519328
传　　真 0451-82519699
经　　销 新华书店
印　　刷 黑龙江天宇印务有限公司
开　　本 787 mm×1 092 mm 1/16
印　　张 10
字　　数 246千字
版　　次 2021年12月第1版
印　　次 2021年12月第1次印刷
定　　价 59.80元
http://www.hrbeupress.com
E-mail:heupress@hrbeu.edu.cn

编　委　会

编著　王晓卫　王旭东

主审　李五洲

参编　来国军　彭　非　林世聪
　　　　张志远　汤　鑫

前　言

目前受无人机智能化水平和自主控制能力的限制，直升机和无人机协同作战时仍须有直升机指挥员进行协同任务分配等工作，但是人的感知和理解能力有限，如何在高度动态的作战环境下帮助指挥员快速、准确、完整地理解战场态势及其发展趋势，并做出正确的决策，避免人为原因造成的失误，是直升机和无人机协同作战时需要解决的首要问题之一。

直升机和无人机协同作战是人工智能受限时的一种典型作战方式，基于网络赋能的思想，通过网络体系，保持机间彼此共享信息形成协同作战编队，以具备协同侦察、协同打击等能力。在协同作战中，直升机作为长机需要由飞行员处理大量的信息，而未来作战将面临高强度对抗、有限信息支援、多任务需求，战场环境不确定性大幅度增加，这些问题都对直升机和无人机协同在复杂战场环境下的高效实战能力提出了严峻挑战。因此，需要提升协同作战时直升机和无人机在复杂动态环境下进行态势感知和在线自主决策的能力，使其实现智能自主独立作战，降低依赖甚至不依赖大系统的保障，独立深入高威胁区域，自主感知威胁并实现智能对抗与突防，自主完成对目标的大范围探测、识别和精确打击。

直升机和无人机协同作战，实现了由传统的单打独斗转变为联合作战，且通过网络技术与智能技术的深度融合，使其由适应确定性环境走向适应更大的不确定性环境，提升了直升机的实战能力。直升机和无人机协同态势感知、评估及可视化技术是协同作战的基础。

本书主要具有以下特点。

(1)从直升机和无人机协同作战的背景入手，力求对直升机和无人机协同作战领域的相关研究基础进行较为全面的介绍，包括直升机和无人机协同作战的概念与需求、发展与特点、意义，并描述了直升机和无人机协同作战相关关键技术的基础概念与研究现状。

(2)对直升机和无人机协同作战态势感知、评估及可视化进行深入分析，包括协同探测图像预处理技术、目标检测识别技术、作战位置感知算法、态势可视化技术，并通过仿真实例加深读者对相关理论的理解，具有重要的理论研究意义和工程实用价值。

(3)描述了直升机和无人机协同作战态势感知、评估和可视化仿真平台，便于读者快速掌握书中的理论方法，为读者提供有益借鉴。

全书内容共 7 章。其中，第 1 章为概论，从背景与意义出发，重点对直升机和无人机协同作战的概念、特点、发展趋势进行介绍；第 2 章重点对直升机和无人机战场态势感知研究进行阐述；第 3 章重点介绍直升机和无人机协同作战图像预处理技术；第 4 章介绍直升机和无人机协同作战目标识别技术；第 5 章围绕直升机和无人机协同作战目标位置感知算法研究展开介绍;第6章围绕直升机和无人机战场目标威胁态势评估技术研究展开介绍;第7章围绕直升机和无人机协同态势感知可视化系统设计及实现展开介绍。

本书由陆军航空兵学院的王晓卫、王旭东编撰,来国军、彭非、林世聪、张志远、汤鑫参与了全书的撰写和修改。全书由李五洲审查。在这里,向上述同志以及本书所引用参考文献的作者表示诚挚的谢意。

由于时间仓促,作者水平和所获取的资料有限,本书难免有疏漏和不足之处,恳请专家和读者批评指正。

编著者

2021年10月

目　　录

第1章　概　　论

1.1　背景与意义

无人机因其结构简单、造价低廉以及操作人员无生命危险等优点而备受各国青睐，在近年来的局部战争中表现突出。然而，由于无人机智能水平的限制，在未来相当长的一段时间内，难以取代直升机独立完成复杂的作战任务，因此直升机与无人机联合作战将成为未来战争中的主要作战模式。协同作战过程中，直升机飞行员需要跨平台搜索、分类和综合编队中各型平台（直升机、无人机）、各型传感器（雷达、光电、惯性设备、地形障碍物规避设备、敌我识别等）的数据，以及时应对作战任务需求。在此过程中，机组成员可能面临认知超负荷、情境意识丧失、任务效率降低等问题，使作战态势感知能力受限，无法进行有效决策。对战场环境的感知与理解是无人机和直升机协同作战的前提和依据，是实现协同作战的基础，应在直升机和无人机中安装相应的态势感知软、硬件，通过传感器将数据融合，有效解决有人机机组人员认知负荷问题。本书结合直升机和无人机协同作战体系结构及作战模式，在对直升机和无人机协同作战和态势感知现状及需求分析的基础上，针对典型直升机和无人机协同应用场景，围绕直升机和无人机协同态势感知基本概念、基于视觉的目标检测与识别、目标态势评估，以及直升机和无人机协同智能态势感知可视化等技术进行阐述，并对其未来发展进行展望。

1.1.1　直升机和无人机协同作战的概念及典型作战样式

1. 协同作战的概念

直升机和无人机协同是指在信息化、网络化以及体系对抗环境下，直升机和无人机联合编队实施协同攻击的一种方式。协同作战时具备远距探测能力的直升机在敌防空火力打击范围外充当主机，携带光电、雷达精确制导武器等载荷的无人机作为僚机前出至敌防空火力打击圈，在数据链的支持下，直升机和无人机密切协同完成战场态势感知、战术决策、指挥引导、精确打击以及毁伤评估等作战任务。

直升机和无人机协同作战示意图如图1-1所示，由直升机完成信息的综合处理、协同编队的战术决策、任务管理以及对无人机的指挥控制；无人机完成自主飞行控制，战场态势感知以及对空、地、海目标的最终打击。

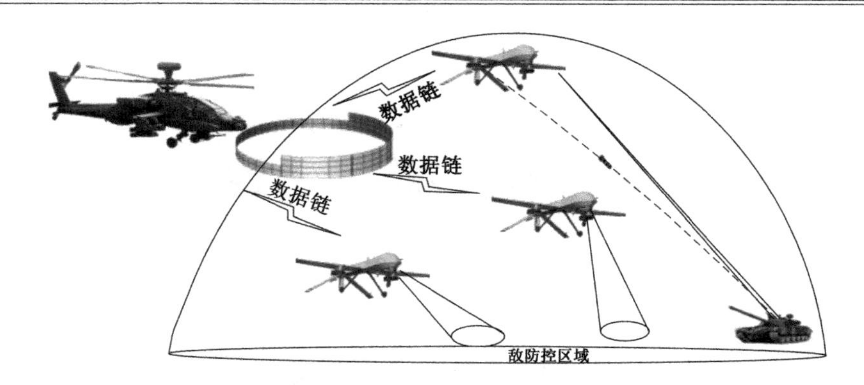

图 1-1　直升机和无人机协同作战示意图

2. 协同作战样式

直升机和无人机协同作战样式同直升机和无人机的互操作性以及智能化程度密切相关。其中直升机和无人机的互操作性是机间互联互通、信息共享、协同控制的基础。1999 年，北约 STANAG 4586 标准对无人机的互操作级别（Level of Interoperability）进行了 5 级定义，见表 1-1。

表 1-1　STANAG 4586 标准规定的地面控制站对无人机的互操作级别

序号	定义
1	间接接收和发送无人机传感器的数据
2	第 1 级能力 + 直接接收和发送无人机传感器的数据
3	第 2 级能力 + 控制和监视无人机载荷
4	第 3 级能力 + 除起降外所有无人机控制能力
5	第 4 级能力 + 从无人机起飞到降落的全功能控制

STANAG 4586 标准主要针对地面控制站对无人机的控制和监视，因此互操作级别划分也可以此标准为参考。随着数据链技术和多平台协同控制技术的发展，直升机对无人机的监视与控制水平不断提高，已从最开始的只能通过地面控制站接收无人机侦察情报信息向对无人机传感器、飞控系统的直接操控发展，互操作级别已经达到 4 级。美陆军目前已列装的直升机和无人机协同作战系统主要有 2 套：

（1）MUMT-2（manned unmanned teaming level of interoperability）系统，互操作级别为 2 级，可使 AH-64D 直升机通过 TCDL 数据链接收无人机视频信息；

（2）UTA（UAS tactical common data link assembly）系统，互操作级别为 3～4 级，可使 AH-64D 直升机通过 TCDL 数据链接收无人机视频信息、载荷控制和飞行控制等相关直升机和无人机的协同互操作技术信息。

但直升机和无人机的互操作等级定义不等于协同等级。直升机和无人机协同作战执行任务，互操作级别较高时，直升机飞行员不仅要处理来自指挥中心的指挥控制指令，还要对各个无人机平台送来的数据进行分析、处理，并对无人机机载传感器和飞行进行控制，工作负担大,因此无人机的智能化程度及自主作战能力也是影响协同作战性能的重要因素。

近年来,随着中俄等国反介入/区域拒止(anti - access/area denial)能力的发展,美国传统打击武器面临高性能综合防空系统、全球定位系统(GPS)中断、通信受限、电磁干扰及定向能武器等一系列挑战,已很难满足作战需求,为此美国高度重视无人机自主系统及人工智能技术的发展,以应对高对抗环境下的各类威胁。2000 年、2002 年和 2005 年美国国防部相继公开发表《无人机路线图 2000—2025》《无人机路线图 2002—2027》《无人机路线图 2005—2030》。3 版无人机路线图都沿用自主控制等级(autonomous control level,ACL)的划分。美国空军研究实验室将 ACL 分为 10 级,并对美军当时有代表性的、在研的和未来规划的无人机自主控制进行了明确划分,如图 1 - 2 所示。

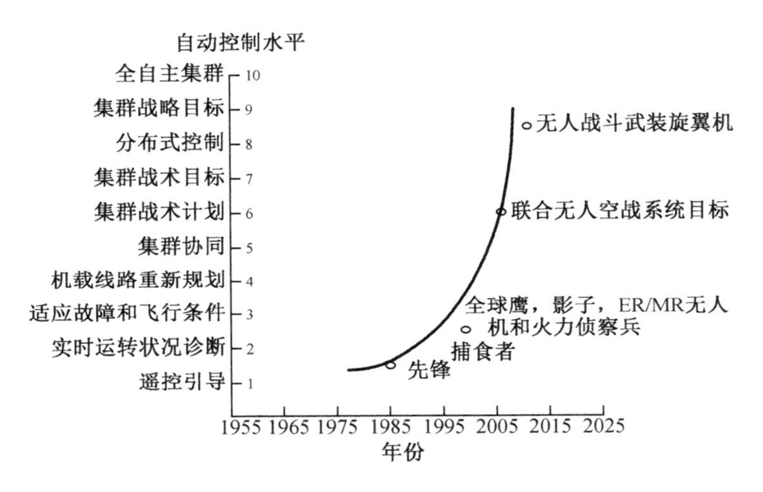

图 1 - 2　美军自主控制等级定义

从图 1 - 2 中可以看出,由于美军用图进行 ACL 定义,因此各无人机的 ACL 不是太准确、严谨。其中 RQ - 2“先锋”无人机的 ACL 在 1 ~ 2 级之间,MQ - 1“捕食者”无人机为 2 级,RQ - 4“全球鹰”、RQ - 7“影子 200”、MQ - 1C“天空勇士”ER/MP 无人机以及 RQ - 8“火力侦察兵”的 ACL 接近 3 级。

表 1 - 2 给出了自主控制等级的中英文对照表,ACL 有 10 个级别的划分,实际上,在研究中这些中文译法很少用,更多的是直接称 ACL 多少级,研究的重点应是英文原文。

表 1 - 2　美空军制定的无人机自主控制等级中英文对照表

等级	自主控制级别(英文)	自主控制级别(中文)	自主类别
1	remotely guided	遥控引导	单机自主
2	real time health/dignosis	实时故障诊断	
3	adapt tofailures&flight conditions	适应故障和飞行条件	
4	onboard route replan	航线线路重新规划	

表 1－2(续)

等级	自主控制级别(英文)	自主控制级别(中文)	自主类别
5	group coordination	集群协同	多机自主
6	group tactical replan	集群战述重规划	
7	group tactical goals	集群战术目标	
8	distrubted control	分布式控制	集群自主
9	group strategic goals	集群战略目标	
10	fully autonomous swarms	集群完全自主	

表 1－2 中,5 级以下主要反映单架无人机最高的自主控制水平;1～3 级是无人机适应自身环境的变化而进行的自主行为(适应参数不确定、结构不确定),其中遥控引导是指通过遥控遥测链路发送指令对无人机进行姿态和载荷控制,实时故障诊断是指无人机利用机内自测试(BIT)检测软件进行实时故障诊断与隔离以及故障信息报警,这两个等级不需要无人机是智能的,只需要无人机根据指令执行相应的动作即可;适应故障和飞行条件是指无人机具备利用机载健康管理系统进行自身态势感知和故障修复,以及恶劣环境下的适应性控制能力。这些活动可以通过程序化的训练使无人机具备下意识的行动,其行为具有模式化的特点,所占用的智能资源较少;4～10 级是无人机基于初始任务指令,为适应动态环境而进行的自主行为,无人机需要在观测→判断→决策→执行等环节中执行态势感知、智能决策、任务规划与管理等功能,这对无人机的智能化程度要求较高。但初始任务指令由人指导产生,武器的投放指令或权限由人确定;从 5 级开始描述群体的协同智能行为,5～7 级以集中式框架实现自主控制任务,8～10 级通过分布式框架实现;7～10 级是美军未来的发展方向,理论和技术上尚在探索,只适于粗略分析。

美国 3 版无人机路线图对 ACL 各级的含义并没有进行解释,只是简单地给出名称,因此对 ACL 各级的理解也略有不同。北京航空航天大学的陈宗基深入分析人类的智能控制行为等级,并在美国无人机自主控制等级划分的基础上,取消了不能归为智能活动的分布式控制等级(原等级划分的第 8 级),更改了自主等级命名以反应各等级的军事应用特征,进而提出了适于中国无人机技术发展的、更为合理的无人机自主控制的 9 级划分方法及各等级自主控制的技术内涵,具体见表 1－3。

表 1－3　无人机自主控制等级 9 级划分方法及技术内涵

等级	名称	技术内涵
1	遥控与结构性程序控制	采用宽带、可靠遥控与遥测链路,实现结构化控制方案和策略,余度电传控制,飞控模态评估,组合导航、精确制导,航路精确跟踪,半自主起降
2	实时故障诊断	机内自测试检测、实时故障诊断与隔离、故障信息的报警

表 1－3(续)

等级	名称	技术内涵
3	故障自修复和飞行环境自适应	外部态势(外部资源和威胁)通信告知/部分自感知,自身态势(平台健康和能力)感知,机载健康管理系统,故障自修复,控制律重构,面向飞行状态的适应性控制,面向任务的可变模态控制,自主起降,大飞行包线、大过载、大机动、恶劣环境下的适应性控制
4	机载航路重规划	外部态势感知(多目标探测、识别、跟踪、目标优先级和威胁级评估),突发威胁/防撞避障,机载航路重规划
5	多机编队与任务协同	多机信息共享,编队相对导航,多机协同(资源分配、编队组织、任务分配、时间协同),多机编队控制(编队形成、保持与重构,碰撞/障碍规避)
6	多机战术重规划	战场环境感知及多机信息共享,战术态势感知,多机协同任务/航路重规划
7	多机战术目标重规划	多机协同(战术目标划分、资源分配、编队组织、任务分配、时间协同),多机编队控制(编队形成、保持与重构,碰撞/障碍规避),多机协同任务/航路重规划,指挥、执行重规划战术
8	集群战略目标重规划	分布式战略环境感知及识别,分布式战略态势感知,分布式集群信息共享,分布式集群编队导航,分布式集群协同(战略目标划分、资源分配、机群组织、任务分配、时间协同),分布式集群编队/控制航路重规划,集群战略计划实施
9	全自主集群	集群战略环境感知及识别,集群战略态势感知,集群信息共享,集群战略/战术目标及任务/航路重规划,集群战略/战术计划实施

相比于美军的 10 级划分,9 级划分标准做了如下改动。

(1)将 1 级遥控引导更名为遥控与结构性程序控制,以更适于中国无人机的发展状况。

(2)将 5 级集群协同更名为多机编队与任务协同,以更具军事应用特征。

(3)取消美国无人机自主控制等级中的 8 级分布式控制,把其具体功能纳入集群战略目标重规划和全自主集群中。

(4)将 7 级多机战术目标更名为多机战术目标重规划,将 9 级集群战略目标更名为集群战略目标重规划。

无人机智能化程度决定着直升机和无人机协同作战的样式。无人机智能化程度为 1 ~ 4 级,通常采用集中式协同作战样式,当智能化程度达到 5 ~ 7 级时,通常采用半自主式协同作战样式;当智能化程度达到 8 ~ 9 级时,采用全自主集群式作战样式。各作战样式如图 1－3所示。

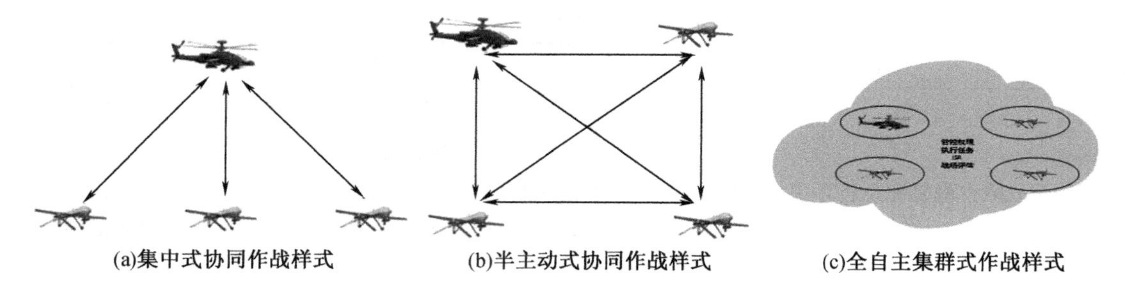

(a)集中式协同作战样式　(b)半主动式协同作战样式　(c)全自主集群式作战样式

图1-3　直升机和无人机协同作战样式

集中式控制方式体系中存在中央控制节点(一般为有人机),进行统一的作战指挥,各无人机将侦察探测信息和平台状态信息发送至直升机,直升机经过统一决策后,将决策结果以指令形式发送给无人机执行。此种控制方式无人机自主控制等级为1~4级,智能化程度低,不具备自主能力,直升机通过遥控无人机被动参与作战;协同作战的效果依赖直升机和无人机的互操作等级,等级越高,协同等级越强。

分布式控制方式下,无人机自主控制等级为5~7级,此时无人机具备感知、判断、决策、交互等战场认知能力,只需进行高层决策,便能与无人机进行半自动式协同作战。

全自主协同作战是智能化条件下的直升机和无人机协同作战,直升机和无人机都可作为战场空间的指挥控制节点,全程自主参与作战,作战过程中同时在物理域、信息域、认知域和行动域进行态势、信息、决策和打击共享,从而最大限度地发挥协同编队的整体决策优势,实现直升机和无人机优势互补,分工合作,适用于作战任务复杂的战场环境。

直升机和无人机协同作战模式的转换,迫切需要采用机器学习、数据挖掘、任务规划等新技术支撑,以进一步提高自主协同作战水平,推动作战能力的跨越式发展。

1.1.2　直升机和无人机协同作战的发展与特点

1. 协同作战的发展

鉴于有人/无人编队作战的应用前景,美、英、俄等国从20世纪末就竞相开展有人/无人协同研究计划,探索了有人空中平台对无人机进行协同控制的可行性、有效性和实用性。其中美国陆军由于需求更紧迫,发展直升机最早也最成熟,已完成直升机与无人机协同的多次演示验证试验,并完成了实际列装。

美国陆军直升机与无人机协同技术发展经历了概念研究与演示验证、工程研发、服役与战法演训、概念创新和性能提升阶段4个阶段。

(1)概念研究与演示验证阶段

由于处于起步阶段,美陆军内部对于发展有人直升机和无人机协同新型作战样式进行了长期的争辩质疑,然后通过仿真与试飞演示证明了效能提升的迭代发展过程。1992年,为有效解决陆军航空兵直升机在战场上不断发生伤亡事故的问题,提高陆军航空兵的任务能力和生存能力,美国空中机动作战实验室提出了“基于编队的有人/无人航空平台系统能力”的先进概念,并将其命名为“Bird Dog”,意指由无人机充当猎人(即直升机)的“捕鸟猎犬”深入危险或隐蔽区域执行侦察或打击任务。1996年,美陆军启动了机载有人/无人系统技术(airborne manned /unmanned system technology,AMUST)研究,目的是开发可以使有人系统与各种无人机系统编队所需的技术,初期主要进行功能需求定义、关键技术分析和试验验证,各项工作都基于仿真环境。1999 年,AMUST 办公室与波音公司、TRW 公司联合使用 AH - 64D“阿帕奇”直升机和“猎人”无人机进行了名为 AMUST - Baseline 的演示验证,实现了无人机侦察视频图像在直升机多个目标显示器上的显示,并且直升机机组人员可操控无人机和传感器包。2000 年,针对陆军航空兵空中突击典型编组,AMUST 办公室又启动了 AMUST - D 6.3 effort 项目,重点验证指挥控制飞机、直升机与无人机之间的互联互通,并开发和综合各种直接视频/数据接收、直接载荷控制以及直接飞行控制等相关有人/无人飞机编队技术,确保战场指挥官能够对不同类型的空中作战编队进行指挥,并对无人机进行控制和指挥。2004 年,陆军开展了猎人远距杀手小组(hunter stand - off killer team,HSKT)演示验证。HSKT 旨在用无人侦察机与有人武装直升机构成作战编队,代替原来的有人侦察直升机与有人武装直升机的作战编队,验证一种新的作战模式,提高美国陆军航空兵的作战能力。演示中,AH - 64D“阿帕奇”直升机以四级协同等级(LOI4)能力控制一架 RQ - 5B“猎人”无人机,阿帕奇为它自己的“海尔法”导弹和“猎人”的载荷提供激光照射。同年,陆军航空应用技术委员会成功地将一部包括无人机控制、Link16 以及其他数据链的机动指挥官助手(MCA)综合到陆军机载 C2 系统中。该综合使得位于 UH - 60 黑鹰直升机内的机载 C2 系统操作员首次控制一架“猎人”无人机及其传感器,同时传送和接收攻击机(如 F/A - 18)与侦察机(如 JSTARS)之间的飞行战术信息。具体发展情况见表 1 - 4。

表 1 - 4 概念研究与演示验证阶段美国陆军直升机和无人机协同发展情况

年份	项目名称	验证平台	实现的能力
1992	Bird Dog	—	有人/无人协同概念及效能研究
1996	AMUST	—	开发有人/无人协同概念,开发组件及程序
1999	AMUST - Baseline	“阿帕奇”“猎人”	验证无人机侦察视频图像在直升机显示器上显示以及直升机机组人员操控无人机和传感器能力
2000	AMUST - D 6.3 effort	“黑鹰”“阿帕奇”“猎人”	验证指挥控制飞机、直升机与无人机之间的互联互通
2004—2007	HSKT	“阿帕奇”“黑鹰”“猎人”及 F/A - 18	验证直升机、无人机、战斗机的集成作战能力

(2)工程研发阶段

在关键技术研究的基础上,美军积极推动工程研制,见表 1 - 5。2006 年 8 月,洛克希德·马丁公司和陆军航空应用技术委员会成功地将一部包括无人机控制、Link16 以及其他数据链的机动指挥官助手(MCA)综合到陆军机载 C2 系统中,实现了对无人机的指挥控制。该系统使得位于 UH - 60“黑鹰”直升机内的机载 C2 操作员首次控制一架“猎人”无人机及其传感器,同时传送和接收攻击机(F/A－18)与侦察机(JSTARS)之间的飞行战术信息。

表1－5　工程研发阶段美国陆军直升机和无人机协同发展情况

年份	项目名称	验证平台	实现的能力
2006	MCA	“黑鹰”“猎人”	对无人机指挥控制
2008	VUIT－2	阿帕奇Ⅱ(实装,2级协同)	宽带链、显控系统设计,实现无人机视频数据接收
2010	L2MUM	“基奥瓦”、RQ－7影子	实现无人机、地面指挥官和无人机的信息共享
2011	UTA	“阿帕奇Ⅲ”、MQ－1C“灰鹰”(实装,4级协同)	与直升机任务处理器完全综合;无人机传感器飞行控制
2003	MCAP	“阿帕奇”“影子－200”	开发模块化、可裁剪、易升级的有人/无人机机载任务处理架构
2011—2015	MUSIC	“阿帕奇”“基奥瓦”“灰鹰”“影子“等	飞行验证直升机对大小型无人机的2～4级控制

2008年,美陆军为伊拉克战场上部署的阿帕奇Ⅱ直升机安装无人机系统2级互操作组队视频数据链组件VUIT－2(video user interface technology),该组件由AAI公司、L－3公司和洛克希德·马丁公司联合开发,它使“阿帕奇”直升机组人员可以通过C频段和UHF(Ural－high Frequency)频段数据链单向接收并阅览无人机发来的视频流和元数据,具备与无人机的2级互操作能力。由于VUIT－2没有集成到直升机飞行控制软件和航电系统上,且只具备2级互操作能力,只是一种过渡策略,因此最终被无人机战术通用数据链组件UTA(unmanned tactical common dataLink assembly)数据链替代。2011年“阿帕奇”直升机BlockⅢ换装UTA数据链组件,首次实现了对MQ－1C“灰鹰”无人机的载荷和飞行路径控制,且控制过程中两架飞机都处于飞行状态,实现了四级协同。UTA是一种双向宽带数据链,它与直升机的任务计算机和显示器完全综合,可提供三级和四级互操作能力。直升机飞行员可以利用UTA控制无人机传感器、武器系统以及除起降之外的飞行过程,并且还能够指示无人机武器打击既定目标。与VUIT－2最大的区别是,UTA与直升机的任务处理器完全综合,无人机的位置、飞行计划和传感器覆盖图等可以添加到直升机战术态势显示器上,直升机能修改无人机的飞行计划。目前UTA只限于装备于“阿帕奇”直升机BlockⅢ上,2013年美陆军开始在“阿帕奇”BlockⅢ上装备UTA。

2008年,“阿帕奇”换装VUIT－2的同时,“基奥瓦”勇士也加装了运用VUIT－2技术的设备,2010年9月,“基奥瓦”勇士开始加装有人/无人机2级组合(L2MUM)组件,该组件基于“阿帕奇”BlockⅡ上使用的套件,但质量更小。L2MUM可使“基奥瓦”勇士、地面指挥官和无人机共享信息,但直升机飞行员不能对无人机进行控制。

2011年,美陆军与美国国防部高级研究计划局(DARPA)、空军和海军等合作实施了全美最大的有人/无人系统集成能力(manned/unmanned system integrated capability,MUSIC)演习,实现空地多种有人、无人平台的联合作战。结果表明,协同后,直升机可以通过数据链接收无人机传来的侦察信息、目标指示信息,实现对地面目标的打击,而直升机和无人机平台的作战能力都得到了提升。

而此时的现役武装直升机航电体系架构技术状态差别太大,直接影响到多平台联合作战的协同能力以及对无人机的互操作能力。同时,为了降低后续协同能力改型升级的成本,美国陆军航空应用技术管理局在CAAS、ROSA等航电架构研究的基础上,提出了有人/无人机通用架构计划(manned/unmanned commonarchitecture program,MCAP),旨在开发一种开放式航空电子系统架构和处理器结构,使其能根据任务需求,通过模块化即插即用方式实现快速升级或者功能扩展。

(3)服役与战法演训阶段

2014年,美陆军发布了2025年部队未来发展路线规划,随着"基奥瓦"武装侦察直升机的逐步退役,美国陆军已决定组建直升机和无人机混编陆航营:为现役师属战斗航空旅的攻击直升机营编配24架AH-64E直升机和1个"灰鹰"远程多功能无人机系统连;为重型攻击侦察营编配24架AH-64E直升机和3个"影子"无人机系统排。首个重型攻击侦察营于2015年发布陆军航空重组计划之后组建完毕。美陆军第101空中突击师是美军唯一以直升机为主进行机动和作战的部队,在1991年海湾战争期间曾以大规模空中机动切断了伊军后路,为美军围歼入侵科威特的伊军主力立下了汗马功劳。因此,AH-64E优先装备该师,并和无人机进行混编,以提高其全谱作战能力,其具体配置方案见表1-6。RQ-7B无人机从2014年开始装备第101空中突击师,可以和AH-64E配合作战,形成有人/无人机系统,作战时,RQ-7B用来发现目标,AH-64E进行决策和攻击。2013年11月21日,美军第一个AH-64E武装直升机营形成初始战斗能力。第101空中突击师的MQ-1C"灰鹰"无人机连于2015年编成,可以和AH-64E配合作战。此外,指挥控制型UH-60M无人机上安装有"陆军空中指控系统"(A2C2S),具备指挥无人机系统作战的能力。

表1-6　美国陆军第101战斗航空旅进行直升机和无人机混编配置方案

序号	型号	数量/架	能力
1	AH-64E"阿帕奇"武装直升机	48	8枚"地狱火"反坦克导弹、UTA
2	UH-60M"黑鹰"通用直升机	30	可运送4.1 t货物,运送11人
3	陆军空中指挥控制系统型UH-60M(也称为A2C2S型)	8	空中指挥
4	HH-60M型救护直升机	15	医疗救援
5	CH-47F"支奴干"运输直升机	12	可运送10.9 t货物,运送55人、54辆装甲型和非装甲型"悍马"车、12门M777型155毫米榴弹炮和30门M119型105毫米轻型牵引式榴弹炮

表1-6(续)

序号	型号	数量/架	能力
6	MQ-1C“灰鹰”无人攻击机	12	有4枚“地狱火”反坦克导弹,与AH-64E形成有人/无人作战系统
7	RQ-7B无人机	12	进行战场侦察、监视,与AH-64E形成有人/无人作战系统

为促进全型谱作战能力的生成,增强AH-64E直升机在高威胁作战环境中的作战能力和生存能力,美军一直关注协同战法演训。持久自由行动期间,美军在直升机飞行员课程中增加了无人机作战理论、无人机交互级别、40 h的TTP(基础战术、技术和程序)以及18 h的AH-64E模拟器模拟训练,模拟敌人在拥有完备防空系统的情况下,利用无人机完成自动和远程遥控打击进行协同作战。其中无人机交互级别具体为2~4的互通性训练:第一阶段的目标是实现“灰鹰”无人机与AH-64E之间2级交互并初步建立数据传输;第二阶段的目标是3级交互控制的传输;第三阶段包括目标交接、目标指示和激光光斑切换。2015年,美军在阿富汗战场上将AH-64E投入实战,在与无人机配合后,自身生存能力和打击效能得到很大提升。从2013年美陆军第一个AH-64E武装直升机营形成初始作战能力起,到2018年为止已装备200多个,插入26项新技术的AH-64E具备网络中心能力,具备和现役无人机进行互操作的能力,大大提高了机组乘员和地面指挥官的态势感知能力。

(4)概念创新和性能提升阶段

目前AH-64E已具备与陆军现役无人机的第4等级互用性,能够在接收无人机飞行控制权后,控制无人机除起降之外的所有飞行。美陆军已形成了AH-64/MQ-1C、AH-64/RQ-7B等具备实战能力的直升机和无人机编组,以此填补了OH-58D退役留下的能力缺口。直升机和无人机编组技术已经在阿富汗的陆军第1-229攻击侦察营取得了极大成功。未来陆军将进一步发展该技术。

随着各种武器装备技术和军事理论的不断发展,各国的装备体系、装备性能、作战模式也随之改变,武装直升机未来战场复杂度和威胁不断增强,这些都对协同作战中的武装直升机和无人机的性能提出了新的需求。在开发应用MUM-T技术之初,北约各国家都特别重视互操作性的概念,并在路线图上规定应对开发可互操作和可连接协同作战的软件及接口系统提供有效的解决方案,为北约内部可用的MUM-T平台之间提供不同的耦合,确保未来指挥官的战术和战略优势。目前,攻击直升机AH-64E作为在旋翼领域最先进的MUM-T平台之一,能够执行从LOI-2到LOI-4的功能,它不仅可以从无人机接收视频,而且还可以控制无人机的传感器和导航配置文件,该图像可以提供给步兵和联合终端进攻控制员,支持对联合部队领导人的战术信息收集的需求,并提高战术态势感知。但除了需要设计良好的人机接口以解决互操作性外,直升机和无人机协同作战的效能也取决于人工智能技术所决定的直升机自主飞行和无人机控制水平以及无人系统执行直升机机组传达的高级指令的能力。2014年,为应对主要战略对手军事发展并保持自身军事优势,美国提出“第三次抵消战略”,并指出其中五大重点发展领域:自主学习技术、人机协作技术、机器辅助人类作战技术、先进有人/无人编队技术、网络使能武器技术，直升机和无人机协同作战是美军未来作战优先发展选项。在直升机和无人机领域，美陆军主要从以下4个方面入手提升其协同作战能力。

①从直升机的飞行控制和对无人机的控制能力两个方面入手提高直升机的智能化程度，降低直升机飞行员的工作负荷

直升机和无人机协同作战过程实质是直升机对无人机的指挥控制过程。在该过程中，受目前无人机自主智能水平的限制，直升机飞行员在进行直升机飞行姿态控制的同时仍需要对无人机进行监视和控制，这无疑对直升机飞行员提出了更高的能力要求。相对于提高无人机智能化水平的任务艰巨性而言，从直升机平台入手开展协同控制关键技术公关和演示验证，具备技术难度小、更容易突破等特点。因而，美国陆军在很长一段时期把直升机对无人机的指挥控制系统技术作为关键技术开展研究。

对于美国陆军来说，在直升机和无人机协同作战时，无人机是武装直升机能力的有效补充，是其侦察、探测、中继制导和火力打击的能力扩展，能够提高武装直升机的任务完成效率和战场生存率，并扩展其任务包线，提高对难度大、风险高的作战任务的适用性。但对于直升机飞行员来说，协同作战模式下操作时飞行员可能面临视觉过载、工作量增加、任务饱和等问题，这将成为与无人机一起执行协同作战任务的严重威胁。提高对无人机的控制能力是提升直升机协同作战效能的一种最有效途径。2013年，美国陆军航空发展局开发了一套可使空中任务指挥官同时管理多架无人机的无人机控制系统，以保证在不增加操作人员工作量的情况下提高任务效率，项目名称为“无人机控制最佳角色分配管理控制系统”（SCORCH）。SCORCH系统由智能无人机自主行为软件和高级用户界面组成，允许一名操作员同时、有效控制3架无人机。系统的高级用户界面针对多架无人机控制进行了优化，拥有具有触摸屏交互功能的玻璃驾驶舱、一个配备专用触摸显示屏的移动式游戏型手持控制器、一个辅助型目标识别系统以及其他功能。SCORCH系统提供了一项独特的协同整合功能，将人机互动、自主性和认知科学领域的最新技术进一步融合到一套整体的作战系统中。SCORCH系统执行任务，在达到关键决策节点时通知人类操作员。在最近的实验评估中，16名陆军飞行员完成了为期2天的训练、实验和反馈，对SCORCH系统展开评估。实验结果表明，飞行员能够很快适应任务执行从直接控制到自动化监督的转变，SCORCH系统在不增加人类操作员工作负荷的情况下提高了陆军的态势感知能力和任务成效。随着技术的发展，在实现一架直升机控制3架无人机的基础上，第5等级互用性以及允许直升机驾驶员在舱内控制无人机起降也可实现。2022年2月，美国洛克希德·马丁公司发布与DARPA共同研究开发的“机组人员驾驶舱内自动化系统”（aircrew labor in - cockpit automation system，ALIAS），使用UH-60A“黑鹰”直升机进行30 min试飞的视频资料。ALIAS除具备自动驾驶、即时航线规划等功能外，还可在烟、尘、雾、雨、雪等“退化视觉环境”（DVE）状态下，帮助飞行员自动调校检测和预防可能的危险状况，这种变革性技术将为指挥官和机组人员提供应对复杂的新威胁环境的战略优势。

②推进自主作战系统在无人机上的运用，提高无人机的智能化程度

无人机自身必须在高威胁环境中具有一定程度的生存能力以及有限的通信能力，才能

在完成操作员传达的高级指令的同时，将其分解为子任务并逐一执行。此外，无人机应需具备任务重新规划能力，才能够在真实环境改变时即时做出调整，特别是在强对抗和干扰环境下。美陆军自 2020 年 8 月 11 日起在尤马试验场恶劣的沙漠环境中开展了历时 6 周的“2020 融合”演习（表 1 –7），旨在提高自身的多域作战能力，并验证新技术，主要包括渗透、瓦解和利用三个阶段。演习中，美国科学系统公司（SSCI）成功试验了可用于战术作战和侦察的 RAPTOR 智能无人机，极大地推进了目标识别技术等的成熟进程，揭示了美陆军在利用人工智能软件提高无人机目标识别能力、逐步实现实战化技术水平方面已经有所突破。

表 1 –7 “2020 融合”演习主要内容

演习亮点	RAPTOR 智能无人机	RAPTOR 智能无人机的演习任务
首次将 RAPTOR 智能无人机用于演习，以提升空中传感器在“反介入/区域拒止”环境中查找、定位、跟踪与识别目标的能力	将 SSCI 公司研发的通过对场景的闭环理解寻找目标（FOUCUS）的人工智能自主软件集成到装备光电/红外传感器的商用无人机，得到智能无人机	由 FOUCUS 人工智能软件将无人机导航到距发射地 1 km 之外的搜索区域，完全自主控制无人机传感器，查找、定位、跟踪与识别目标，为作战人员提供目标的准确位置与图像后，能够自主返回基地

③提高协同等级，拓展无人机作战应用范围

目前无人机主要限于侦察监视任务，与美陆军对未来作战中直升机和无人机混编执行各种任务设想不符。2020 年美陆军提出的“未来攻击侦察机”（FARA）计划中，将协同作战的无人机作战拓展到远程瞄准、攻击、诱骗、运输、电子战、通信中继等方面，并在 2020 年 10 月进行了直升机控制无人机发射武器的验证。2020 年 3 月，美陆军宣布贝尔 360“无敌”（图 1 –4）和西科斯基“劫掠者 X”（图 1 –5）入选美陆军“未来攻击侦察机”竞争原型机阶段。根据美陆军的“多域战”或“多域作战行动”概念，FARA 与无人机协同时，由无人机承担“纵深攻击”作战任务，FARA 并不进入敌防空圈内，而是通过指挥地面起飞的“先进无人机系统”（advanced unmanned aerial system，AUAS）或空射自身携带的“空中发射效应”（ALE）进入敌防空圈内，获取防空系统信息，然后 FARA 发射远程精确制导弹药将目标摧毁。

图 1 –4 贝尔 360“无敌”

图 1 –5 西科斯基“劫掠者 X”

如图 1 –6 所示，在“多域作战行动”概念下，FARA 将采用“阿帕奇”攻击直升机，以网络为中心思路，通过通用的“模块化开放式系统架构”（common modular open system architecture，MOSA），使无人机充当 FARA 的“眼睛”，在前方执行侦察任务，从而避免了 FARA 驾驶员受到威胁。

受无人机自主作战能力的限制，直升机和无人机协同作战时仍需要由人通过数据链来指挥无人机，但指挥人员可以在更靠近前沿的直升机上，而不是在后方指挥所，从而有效提高系统的抗干扰性和减少作战反应时间。

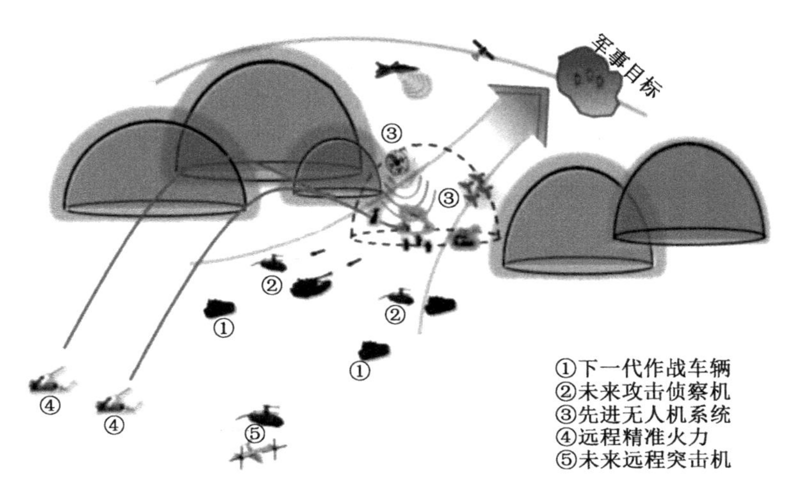

图 1-6　美陆军 FARA 摧毁敌防空系统作战概念示意图

④适应复杂作战环境，改变直升机和无人机协同作战编组类型

直升机和无人机协同作战的早期主要是直升机和大型无人机之间的协同，大型无人机从地面起飞，在空中与直升机协同，如“黑鹰”直升机或“阿帕奇”直升机与“影子”无人机和“灰鹰”无人机协同的飞行演示验证。美陆军认为无人机与直升机的组合不应该只限于目前 AH-64“阿帕奇”攻击直升机和“影子”无人机的组合，而是比目前有人/无人合作概念（MUT-T）所能允许的更为先进的合作。考虑到协同作战时这些无人机多是从地面起飞，由于飞行速度、空域协同等困难，很难伴随 FARA 执行任务，因此美陆军希望 FARA 能够携带一架小型无人机，并能够随时将其发射，与 FARA 协同执行任务。即直升机携带小型无人机，在任务区域内将其发射，然后其与有人直升机协同执行任务。美陆军正在进行一项“空中发射效应”的项目，以研制一型多任务的小型无人机，可由旋翼机和大型无人机发射。该小型无人机采用模块化的任务载荷，可执行侦察、诱骗、干扰、网络中继和打击任务；具有半自主能力，可由 FARA 在 46 m 以下的低空发射。2018 年 8 月，美陆军验证了由 UH-60 发射一架“阿尔提乌斯”600（ALTIUS-600，其中“ALTIUS”是“air-Launched，tube-integrated，unmanned system”的缩略词，意为“空中发射、管式集成无人系统”，实质是空射无人机）无人机，演示验证帮助美陆军方了解从旋转机上空射无人机的技术需求，包括空射无人机的设计、空射控制、无人机从母机上的空射方向、无人机和母机的机动限制等。“空中发射效应”将在 2020 年底到 2023 年进行更复杂的测试，其中在 2022 财年，将进行在复杂环境空射无人机承担诱饵和电子战任务的技术演示验证；在 2023 财年，将演示空射无人机突破

一个综合防空系统。该无人机由 FARA 携带到任务区域,然后由 FARA 空投放,飞行到目标区域执行任务,因此对该无人机的尺寸、质量约束明显。

2. 协同作战发展的特点

分析美军有人直升机和无人机协同相关项目的研制历程可以看出:自美陆军最早提出直升机和无人机协同作战概念起,研究重点已经逐渐从“描述平台互用性和共享资产控制”转移到分布式、体系化作战所需的“体系架构”“指挥控制”“通信组网”以及“人机交互”等方面。其研制过程具有如下特点。

(1)研究周期长、项目多、环节多,技术迭代发展历经有人/无人概念探索、有效性分析、技术梳理、系统设计及技术攻关、实验室仿真、飞行演示验证,最终向实装化发展。在直升机和无人机协同作战方面,美军一直走在世界前列,重视顶层规划和基础标准研究,通过多个项目针对性地开展关键技术攻关,逐步实现各协同样式,共同促进有人/无人协同应用及技术的滚动迭代发展。

(2)在协同控制能力上,由初级向高级发展,直升机对无人机的协同控制由低操作级别向高操作级别发展,由简单的无人机传感器数据接收,发展为无人机传感器、武器、飞行的控制;协同样式由信息支援等简单协同向目标指示等精密协同发展;随着无人机自主化、智能化水平的提升,协同作战能力等级逐渐提升,协同控制方式由集中式向分布式,由一对一向一对多发展。

(3)协同控制实现方式上,由固定、紧耦合的协同平台组合向异构、多平台互操作发展。

基于任务需求和平台能力匹配性确定协同组合,协同控制架构由紧耦合向通用开放式协同发展,协同配对方式由固定组合向异构平台组合方向发展,协同控制系统由独立设备向与平台任务处理机综合设计方向发展。美国陆军一直致力于“阿帕奇”直升机与“灰鹰”“阴影”无人机和无人机峰群协同作战。

与其他作战方式相比,其具有以下特点:

(1)具备体系作战特点。有人/无人协同作战编队整体作为体系对抗系统的一个节点,受战场指挥中心的统一指挥控制,包括整体作战技术制定、远距占位引导等,同时共享整个战场态势信息。

(2)具备信息实时共享特点。直升机和无人机之间在信息、资源、攻击计划等多方面实现共享及协同(信息类型和信息量根据无人机智能化水平变化)。通常有直升机对所获取的信息进行综合处理,完成战场态势的评估分析;同时根据作战任务与作战计划、战场态势、系统可用资源等多种因素,进行协同作战的任务规划,实现对联合攻击系统的任务管理,并将任务规划的结果以指令形式发送至无人机。

(3)具备智能化自主作战特点。无人机携带 ISR 传感器对战场环境进行侦察,在一定程度可自主行动,在直升机的指挥控制下,完成攻击目标的瞄准计算、武器发射条件判断、参数装订、武器发射和打击效果评估等,执行终端作战任务。

1.1.3 直升机和无人机协同作战的能力需求及关键技术

1. 直升机和无人机协同作战的能力需求

(1)态势感知能力

未来战场态势错综复杂,快速高效的战场态势感知能力是直升机和无人机协同作战时进行战场决策和行动的前提。协同作战时,直升机与无人机同步交互,共享情报信息,是取得协同作战胜利的关键。

(2)自组通信能力

未来强对抗作战环境对协同作战数据链路的信息传输速度和可靠性提出了更多要求,只有具备快速高效的自组通信能力,通过构建直升机和无人机高效抗扰动态自组织网络,才可支持协同作战编组各成员的动态加入和退出,实现协同作战各平台的互联互通。

(3)高效指控能力

直升机和无人机协同作战时,直升机作为作战管理单元,对整个作战行动进行监督和控制,高效的指挥控制能力是提高作战效果和减轻直升机飞行员工作负担的关键因素之一。

(4)智能自主能力

无人机自主控制等级从低到高分别对应非自主、单机自主、多级自主和集群自主,只有通过提高无人机的智能自主能力,才能有效有效提高无人机在强对抗环境下的作战能力和1降低协同作战人员的负荷。

(5)电子对抗能力

为满足未来复杂电磁环境的作战需求,直升机与无人机协同作战编组应具备有效的电子对抗能力,以应对复杂电磁环境的干扰诱骗,达到干扰或压制对手,形成攻击优势的目的。

(6)协同攻击能力

直升机和无人机协同作战编组通过战场信息共享进行实时协同打击,可有效应对战场变化,提高作战效果。

2.直升机和无人机智能协同作战的关键技术

(1)直升机和无人机的交互控制技术

直升机和无人机在执行任务过程中承担着不同职责,通过相互之间的数据、信息交互,实现任务的协同。整个协同任务过程中,直升机操作人员不仅要接收来自地面的指挥控制信息、执行本机作战任务,还要根据战场情况指挥控制无人机,这大大增加了直升机操作人员的工作负担。设计简单有效的直升机和无人机协同交互控制方式,将为任务的完成提供有力保障。这类交互可采用不同的手段来实现,比如语音、文本、图形等。然而,无论采用何种方式,都必须定义一套完整的指令集,以便于交互信息在无人机端的识别、理解、执行以及在机间数据链中的传输。协同任务指令集包含3个方面:直升机任务命令集、无人机指令集以及指令编码。指令集的设计应该满足完备、简约、规范的要求,以便为实现直升机和无人机之间方便快捷的交互奠定基础。

(2)直升机和无人机协同态势感知技术

直升机和无人机协同态势感知是指直升机和无人机协同作战编队通过利用各种相关传感器获取战场信息,实现对时间与空间纵深内各元素的深刻感悟,并对其发展态势进行科学合理预测。协同态势感知通过以下步骤完成:利用各种传感器获取所有可以得到的信息,理解获得信息中对我态势有利的信息,估计态势可能发展的方向,假定它不受外力影响,评价外来因素对预测的影响。直升机和无人机编队通过态势感知中获得的信息优势,利用战场的绝对知识从而采取正确的决策和行动。对战场态势正确可靠的感知和理解是完成协同作战任务的基本前提,协同态势感知包括协同探测、智能目标识别、目标跟踪和多源信息融合等关键技术。

(3)协同目标分配方法

协同目标分配指的是为了直升机和无人机协同一致完成任务,考虑各种约束条件,对协同编队各平台分配攻击目标,确定攻击目标的武器种类,进行武器配置和编队配置,确定目标的攻击点、方向以及有人机与无人机协同的武器投放区域等。总之,协同目标分配的作用是基于一定的战场环境、任务要求以及协同各平台的性能,以实现代价最小化和作战效能最大化为目标,建立直升机和无人机协同侦察、打击或对抗目标之间的联系或映射关系,完成协同作战编队各平台的多目标分配。直升机和无人机协同目标分配是组合优化问题,是一类 NP 难题,这类问题的求解主要有两种思路,一种是精确搜索,如穷究法、整数规划法、约束规划法和图论方法等;另一种是启发式搜索,在搜索过程中加入一定启发因子,指导搜索向一个比较小的范围内进行,包法列表规划方法和进化算法、遗传算法、模拟退火、禁忌搜索等智能优化方法。这两种思路都属集中式算法,通常由协同编组中心完成,且都需要大量的计算。此外还有分布式任务算法,可在有协同编队内的各个平台独立进行计算,如合同网、拍卖方法等。

(4)直升机和无人机协同航路规划技术

当前,无人机智能化程度有限,可靠的航路规划对提高协同作战时的无人机打击能力起着重要的作用,直升机和无人机协同航路规划技术是无人机在直升机的指挥下,实现自主飞行的关键,算法性能直接决定了路线选择的好坏。经典算法有非线性规划法、最优控制法、梯度法等。智能规划方法有图论 、遗传算法、模拟退火法、神经网络算法、蚁群算法和 A * 算法等。协同航路规划主要需解决大量路径信息与全局优化之间的矛盾,合理高效的航路规划能够减少系统消耗,有助于提升作战效能。

(5)目标毁伤效果评估技术

目标毁伤效果评估是指对目标实施攻击后,对目标的毁伤效果进行的综合评价。根据评估的结果,指挥员可以判断已实施的火力打击是否达到预期的毁伤效果,是否需要再次打击,对于节约武器资源和抓住战机有着重要的意义。无人机在机载武器攻击目标的同时对战场进行监视,并利用机载光电传感器对目标进行拍摄,由无人机对战场毁伤效果进行评估,或由无人机传输至直升机,由直升机时毁伤效果进行评估。

(6)协同决策技术

直升机和无人机协同作战时高效可靠的决策是有效缩短作战体系的响应时间,提高系统的决策速度的关键因素之一。由于有人机与无人机协同的异构性特征,在协同决策过程中,需要遵循特定的协同机制,既要有效利用有人机操作员的认知能力,提高对战场态势的理解、分析、判断和预测能力,又要充分发挥无人机智能决策系统在感知、运算、存储等方面的巨大潜力。陈军在《有人机与无人机协同决策模型方法》一书中针对未来有人机与无人机协同决策技术的发展趋势，提出了有人机与无人机有限干预式和认知智能交互式两种协同决策机制，并分别介绍了具体的模型建立和方法实现过程。

1.2 直升机和无人机协同态势感知、评估及可视化技术研究与体系结构

1.2.1 基本概念

由于直升机和无人协同作战具有可拓展至直升机作战任务范围、降低人员伤亡、提高直升机装备战场生存能力和战场效能等特点，自20世纪90年代起，美陆军就开始了直升机和无人协同作战研究，并先后完成了直升机和无人机协同作战概念、需求分析、效能仿真与评估、关键技术与协同作战样式演示验证、现役直升机装备协同控制组件研制、部队编组与战术战法训练等工作，有效促进了美陆军直升机和无人机协同作战能力的生成。目前，受无人机智能化水平和自主控制能力的限制，直升机和无人机协同作战时仍需直升机指挥员进行协同任务分配等工作，但是人的感知和理解能力有限，如何在高度动态的作战环境下帮助指挥员快速、准确、完整地理解战场态势及其发展趋势，并做出正确的决策，避免人为原因造成的失误，是直升机和无人机协同作战时需要解决的首要问题之一。

两千多年前，战国时期的军事家孙武在《孙子兵法》的计篇、形篇、势篇和虚实篇中分别从战场部署、军事实力、运用交战谋略等方面对战场态势进行了详细阐述，包括“劳佚、攻守、奇正、勇怯、虚实、治乱、势险、节短、进退、常势、恒形”等。《中国人民解放军军语》将态势定义为：敌对双方部署和行为所形成的状态和形势。目前，国内研究普遍认为：战场态势是指作战空间内，敌我双方兵力和装备部署的当前状态与发展趋势，同时包括战场环境和敌方作战意图等。

直升机和无人机协同态势是指一定时间和空间内敌我双方兵力与装备部署的当前状态及发展趋势。协同作战时，直升机能够对多架无人机以及其他途径获取的信息进行融合，提取出协同作战环境下的关键要素，并在对这些态势信息进行综合理解和预测的基础上，对未来一段时间内目标位置、目标作战企图等进行合理推断，用来辅助决策、指导下一步协同作战任务的开展。其中直升机和无人机协同态势感知是一个对信息进行收集融合的过程，需要全面、实时地掌握各种战场数据，形成战场的态势感知，包括收集各架无人机的信息、直升机自身获取的信息以及通过数据链获取的信息。态势包含“态”和“势”两层含义。态，强调战场中自然环境、电磁环境以及目标等作战影响因素的当前状态，包括地理环境、大气环境、电磁频谱特性分布，以及目标的位置、运动参数、身份、类型等描述。势，强调事物发展的趋势，包括战场环境发展趋势以及对目标隐含的作战意图、作战能力以及构成的威胁等描述。”

1.2.2 体系架构

直升机和无人机协同态势感知、评估及可视化技术的研究主要用来提升直升机战场态

势认知理解和决策指挥能力，其系统框架如图1－7所示。由于目前直升机和无人机协同作战仍以分布式协同作战为主，为达到最好的作战效果，需要各个作战单元之间相互协同配合，共同完成作战任务，因此除了个体态势感知问题，还包括协同态势感知和态势一致性问题。首先依靠各作战单元(直升机、无人机)进行目标探测和态势感知，通过机间数据链将信息传至有人直升机，指挥直升机在获取这些信息的过程中，甄选能影响评估结果或对作战有重要影响的因素，进行态势要素提取，包括信息输入、知识表示、信息更新、数据整理、数据关联和变换等；然后进行态势理解和评估，生成一致化战场态势图并分发至各无人作战单元，以辅助直升机指挥员进行指挥决策和无人机自主任务规划。直升机和无人机协同作战时需要提取的态势要素包括兵力部署、动态目标、环境要素、社会要素、对抗措施等五类要素。这些信息的来源主要包括数据链、人工、机载光电传感器、雷达或其他方式。其中动态目标主要依靠直升机、无人机机载光电和合成孔径雷达传感器进行获取。其获取目标信息的准确性以及精度直接影响后续的过程。

直升机和无人机协同感知是获取外界信息的手段，在复杂和不确定的条件下，只有具备相应的感知能力，才能获取足够的战场环境、平台运动及任务目标等信息，支撑协同作战任务的完成。感知主要是通过各种机载传感器获取外界信息并进行提取和识别，是协同作战的基础。态势评估是感知能力的延伸，是基于感知信息对敌我态势/意图、环境/敌方威胁、自身状态等做出的有效评估和判断。从数据融合的角度出发，评估判断能力属于高层次数据融合的范畴，其强弱决定着协同作战任务的分配，误评和误判都可能会带来致命性的后果。其中，态势评估是基于战场环境中的敌方、我方、环境、任务等多种作战要素，实现反映战场变化态势的多层视图融合。

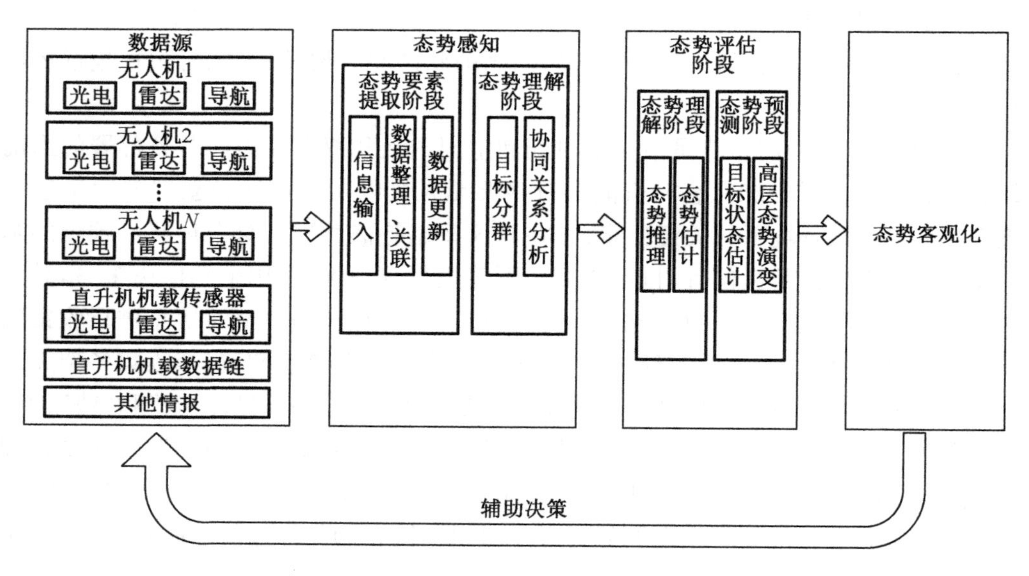

图1－7 直升机和无人机协同态势感知、评估及可视化技术框架

直升机和无人机协同作战所需的态势感知与战术决策能力对于在低空、高速飞行的飞行员是一个重大的挑战。在直升机和无人机协同作战过程中，战场情况瞬息万变、考虑的

要素繁杂，而人工处理信息的能力有限，依靠分布式处理技术和计算机来实现对战场信息的获取、传输、处理以及态势感知和评估可有效实现对协同作战的高效指挥与控制。

1.2.3　国内外发展现状

美陆航一直致力于通过态势感知和辅助决策技术的增强，提高其机载或地面机动指挥能力，并在美陆航应用技术理事会（the US Army Aviation Applied Technology Directorate，AATD）发起的 AMUST－D（airborne manned unmanned system technology）和 HSKT（the hunter standoff killer team）项目中进行了开发、部署和演示。AMUST－D 和 HSKT 项目通过在“黑鹰”直升机上安装的机动指挥官助手（the mobile commander's associate，MCA）、在“阿帕奇”直升机上安装的战斗机助手（the warfighter's associate，WA）实现了对协同作战中不同机载平台传感器数据以及战场情报数据源的共享和融合，构建了一致的通用相关作战图像（consistent common relevant operational picture，CROP），使机载飞行员和机动指挥官能够更好地从 CROP 实现战场态势感知。WA 用于支持阿帕奇直升机进行作战编队，而 MCA 用于支持“黑鹰”直升机进行编队指控。图1－8为 AMUST－D/HSKT 直升机和无人机协同作战的体系结构。美军通过不断的技术验证，在“黑鹰”和“阿帕奇”直升机中植入了“战斗助手”核心模块的“认知决策辅助系统”和“机动指挥官助手”核心模块的“智能体数据挖掘组件”，在不同程度上解决了超低空高速飞行的同时，执行各种战术任务状态下的工作负荷问题，提高了飞行员对于战场情报的感知、吸收效率以及即时反应能力。

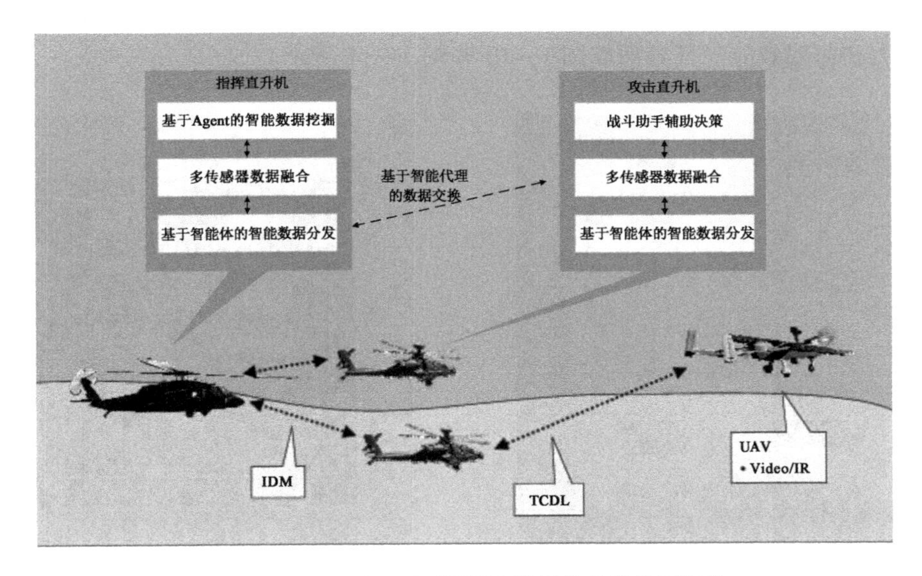

图1－8　AMUST－D/HSKT 协同作战的体系结构

AMUST－D/HSKT 体系结构中的最核心技术是通过多源异构传感器及情报信息的融合构建共享的 CROP，实现了战场辅助决策的自动推理和多无人机多传感器的信息关联，有效减轻了人员负担。根据与 AATD 的合同，LMATL（lockheed martin advanced technology laboratories）负责多源传感器数据融合系统开发，并将其集成在 WA 和 MCA 系统上，为机载辅助决策系统提供必需的态势感知能力。如图 1－9 所示，WA 和 MCA 都通过 TCDL 提供了对猎人 RQ－5A 的Ⅳ级协同控制。

图 1－9　美军 AMUST－D/HSKT 协同作战示意图

1. WA 系统

WA 用于直接帮助直升机飞行员拟制和选择行动方案。安装在“阿帕奇”直升机上的 WA 通过提高驾驶员的态势感知能力和辅助决策能力，使得驾驶员可同时有效管理本机和无人机，并将注意力集中于处理重要任务，如交战规划和战术机动等，由此提高“阿帕奇”的战场生存力和作战效能。其界面如图 1－10 和图 1－11 所示。

图 1－10　AH－64D 直升机上的 WA 界面

图 1－11　无人机控制页面

WA 由无人机航线规划、航线评估、火力攻击、飞行控制，数据融合、无人机视频记录和图像接收及传感器控制等模块组成。WA 各组成模块功能描述见表 1－8。

表1-8 WA各组成模块功能描述

序号	模块名称	功能
1	航线规划	基于任务目的、约束条件、已知威胁、地形、时间和位置等条件，自动地进行航线规划
2	航线评估	能够通过计算识别和显示所规划的航线暴露与已知威胁源的风险，对当前航线风险进行评估。能够使用不同的颜色对航线风险等级标注功能，黄色表示受传感器探测的危险，而红色则表示航线可能在武器攻击范围内
3	火力攻击	能够根据航线代价、距离、位置、光照、机动区域、火力范围等因素计算给直升机飞行员提供侦查和武器发射的最佳位置
4	数据融合	具备多源异构数据融合功能，能够将从直升机火控雷达、机载电路、数据链、观瞄、无人机等采集的信息进行融合
5	传感器控制	具备机载传感器扫描范围设定和通视位置计算及显示功能
6	飞行控制	提供直升机机组人员无人机4级控制能力，具备直接获取无人机图像和其他数据、无人机飞行控制和载荷控制能力
7	无人机视频记录和图像接收	无人机视频记录、与A2C2X之间的视频数据接收和发送功能

2. MCA系统

MCA用于给指挥官提供一个有人机/无人机协同编队控制的机动平台。图1-12所示为A2C2S系统结构图，“黑鹰”直升机通过IDM和TDCL数据链实时获取阿帕奇和猎人无人机的信息，并在MCA中通过共享和融合来自影响战场空间的所有可利用传感器和情报数据源的信息来增强机动指挥官的态势感知能力，使之更有效地实现对直升机和无人机的控制。安装了MCA的A2C2S称为A2C2X。

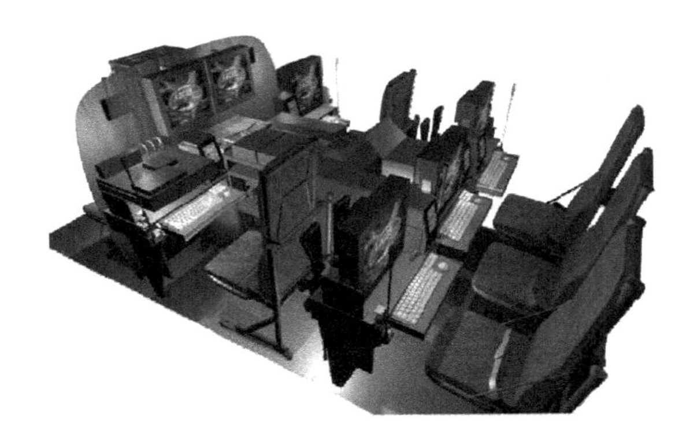

图1-12 A2C2S系统结构图

MCA由MCA处理器、TCDL、Link16、AVRIT/SINCGARS(single channel ground and airborne system，机载无线电通信系统)，以及IDM/SINCGARS子系统组成，具备辅助决策、分布式数据融合和基于智能体的数据发现(agent-based data discovery，ABDD)等功能。各功能

模块的具体描述见表1-9。

表1-9 MCA各功能模块描述

序号	模块名称		功能
1	辅助决策	态势感知及显示	该模块可将联合监视与目标攻击雷达系统和陆军指挥信息系统获取的多源异构数据进行融合,并将融合数据显示在战场作战图上。战场作战图中的图表、集成有河流和道路等特征的正视图显示了机动指挥官兵力部署、无人机侦察和飞行姿态等态势信息。指挥官根据控制需求,定制态势感知图的显示内容
		无人机飞行控制	该模块具备无人机飞行模式控制、航线规划、传感器控制、无人机飞行姿态和视频显示功能
		编队管理	该模块具有编队协同飞行管理功能
		航线规划	该模块具有无人机和直升机航线规划功能
		航线监测	该模块具有航线监测和未知威胁预警功能
2	分布式数据融合		该模块可将Link16数据链、陆军作战控制系统、机动指挥官助手、“阿帕奇”直升机和火控雷达等系统获取的多源异构数据进行关联、识别和融合
3	基于智能体的数据发现		具有基于智能体的数据检索、发现功能

A2C2X“黑鹰”直升机上综合态势感知画面如图1-13所示,在态势图中对任务、编队成员、航线、目标、设备等信息进行了显示。其中“黑鹰”直升机可以通过Link16发送目标请求信息给F/A-18大黄蜂;TCDL用来和无人机之间发送航点、传感器控制以及飞行模式。IDM用于将路径和目标信息由“黑鹰”发送给“阿帕奇”。

美军的WA和MCA系统都安装有无人机控制软件、分布式数据融合和辅助决策软件,这些软件之间的异同点具体可描述如下。

(1)WA和MCA都可实现对无人机的4级协同控制,包括直接接收无人机图像和数据、控制无人机飞行和载荷,为操作员提供无人机状态控制和查看,并允许人工路径规划、传感器指向控制和视频观看等具体的协同控制能力。但在武器控制方面,WA可规划出无人机武器发射时间和方位,而MCA是将火控级目标信息通过数据链发送至无人机。

(2)两者的分布式数据融合软件基本相同,但辅助决策软件有一定差异,如MCA在WA的攻击规划、无人机管理、传感器管理、路径管理基础上,增加了态势感知显示、无人机控制、编队管理、通信管理、交战管理,采用编队管理代替无人机管理、交战管理代替攻击规划。此外,MCA增加了ABDD软件,在数据融合前,对不同来源、不同媒质的数据进行筛选和提炼,转换成数据融合系统可识别的格式,充分挖掘有利于改善融合结果的所有信息,提高数据处理能力和利用效率。

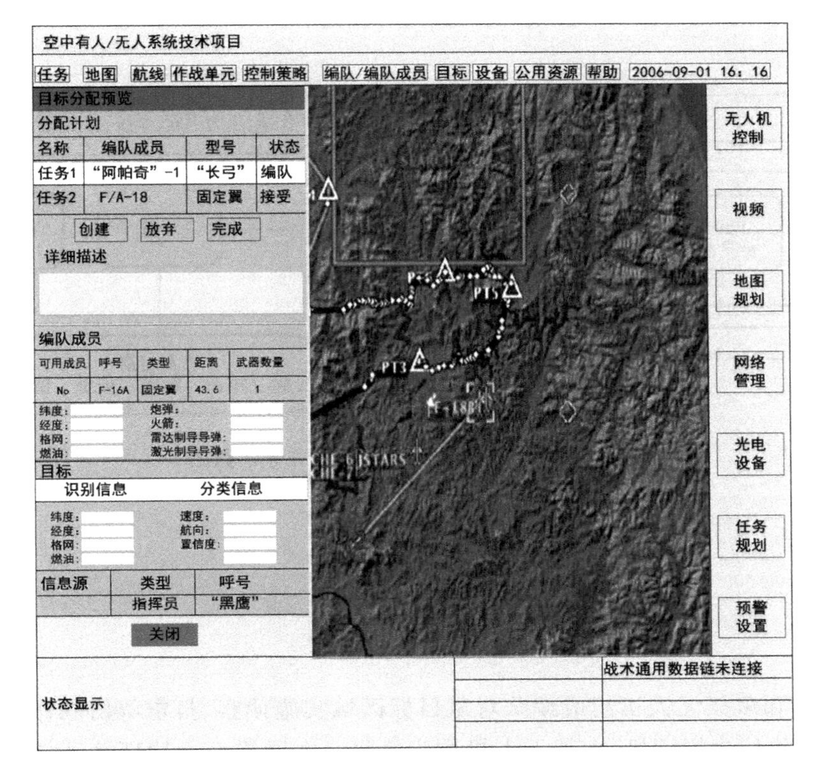

图1-13 A2C2X“黑鹰”直升机上综合态势感知画面

1.3 直升机和无人机协同态势感知关键技术

根据Endsley模型,态势感知包括要素感知、态势理解和态势预测三个层级,其中要素感知为Level 1级,主要是指对环境中相关要素的状态、属性和动态等信息感知;态势理解为Level 2层,该层通过识别、解读和评估的过程,将不相关的要素信息联系起来,并关注这些信息对预期目标的影响;态势预测为Level 3层,主要是指在前两级信息的基础上,对未来的发展态势和可能产生的影响进行预测,如图1-14所示。

目标检测、识别与跟踪属计算机视觉领域,一直是一个热门课题,但由于直升机和无人机协同作战的应用环境和识别目标特性不同,其研究应着重解决以下问题。

(1)无人机飞行高度高,易受光照、云雾、烟雾等多因素影响,图像清晰度低。

(2)无人机高空飞行,侦察或打击目标成像尺寸小,军用目标识别样本库数量少,基于数据的目标识别难度大。

(3)直升机和无人机协同作战战场环境复杂,目标伪装手段高,目标探测识别准确率低。

(4)为取得协同作战中信息优势和决策优势,满足“发现即摧毁”的任务要求,实时性和准确性要求高。

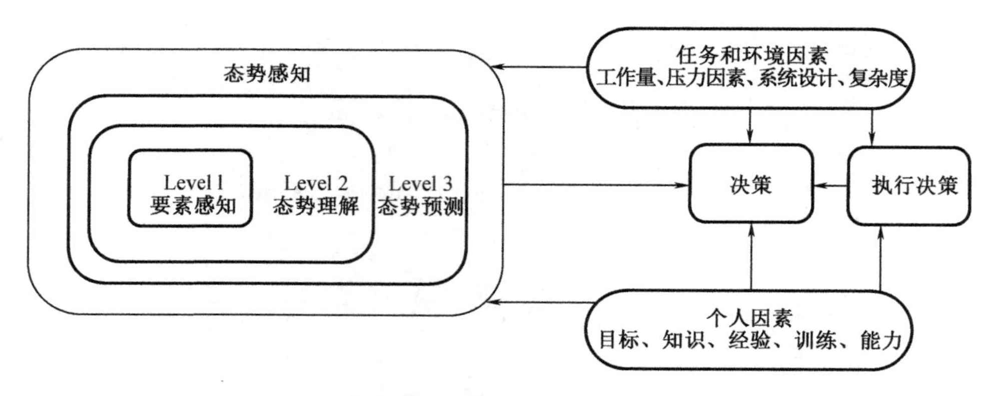

图 1-14　直升机和无人机协同作战示意图

1.4　本章小结

在直升机和多架无人机组成编队对某目标区域实施侦察、打击等协同作战任务时，编队中应以直升机作为指挥机，多架无人机作为僚机。在网络中心战环境下，直升机承担编队战术决策和任务控制，包括战场态势评估、无人机协同目标分配、无人机协同航路规划等任务，无人机负责侦察、攻击任务。协同作战是应能够充分实现直升机与无人机联合编队之间的信息共享、可用资源的统一调度。随着机载传感器数量和种类的增加，协同作战时信息量呈爆炸性增长，如何从海量数据中及时准确地实现对战场环境的感知是协同作战首先要解决的问题。

在直升机和无人机态势感知系统的各类传感器获得的信息中，机载图像信息以其信息丰富、形象直观、准确度高和时效性强等特点成为态势感知系统做出感知判断的主要信息来源。但是，针对图像信息的目标感知识别存在较大困难，一是图像数据量庞大，包含的信息丰富，目标的结构性特征明显，现有的机器学习算法在进行图像目标识别时对特征提取的要求较高，而根据人工设计的规则提取的特征往往无法达到要求；二是图像场景的复杂性以及目标的多样性对算法的识别精度和感知模型的泛化能力提出了较高要求。本书将面向非完备战场复杂环境直升机和无人机的协同态势感知能力，探索基于视觉的目标感知识别系统及多模态信息下的态势感知系统，解决“深度融合”“战场认知”及“态势识别”等问题，面向模拟无人机复杂战场环境开展应用与试验验证，探测来自地面的威胁，提升无人机的智能侦察能力。

在直升机和无人机态势感知系统各类传感器获得的信息中，机载视频图像以其信息丰富、形象直观和时效性强等特点成为态势感知系统信息的主要来源。但是基于视频图像的目标识别存在较大困难：一是视频图像数据量大，目标识别实时性要求高；二是战场环境复杂性，目标特征提取和识别难度大。本书将对直升机和无人机态势感知系统的视频图像处理、目标检测识别、态势感知和评估等技术进行介绍。

第2章　直升机和无人机战场态势感知研究

2.1　战场态势感知的相关概念

在协同作战中，直升机和无人机携带的载荷类型差异较大，特别是直升机上通常携带雷达、可见光、红外、多光谱/超光谱、电子侦察等多种载荷进行探测，而多个无人机平台将会采集大量多源情报数据，以提高战场生存能力、增强态势感知、改善目标检测与识别精度，进行不同平台多模态传感器情报的综合识别、有效融合、协同态势感知和评估将是直升机和无人机协同的关键。在军事领域，知己知彼，才能百战不殆。战场态势最终为指挥员所用，最直观有效的方式是以丰富多样的表现形式从各个角度、各个层次展现出来，让指挥员对当前形势一目了然，同时对下一步的发展趋势能够加以预测。全面准确地掌握战场态势，是正确决策和占据战场主动的基础。对战场态势感知理论和技术问题的深入研究，能够为指挥信息系统的设计、作战计划的制订等提供参考依据。

态势感知(situation awareness，SA)最早用于研究飞行员对当前所处飞行状态的认识和理解。许多研究者对态势感知的概念进行了定义。一些定义是紧紧围绕着态势感知的某一应用领域展开的。例如，1988 年，Fracker 将态势感知定义为：飞行员关于某一关注区域的知识。另外一些定义则具有更为普遍的适用性，其中最具影响的是 1995 年由 Endsley 提出的，他将态势感知定义为：对一定时间和空间环境内的态势要素进行感知，并对获得的信息进行理解，进而形成对这些态势要素下一时刻状态的预测。该定义将态势感知分为：察觉(perception)、理解(comprehension)和预测(projection)三个层次(图 2－1)。

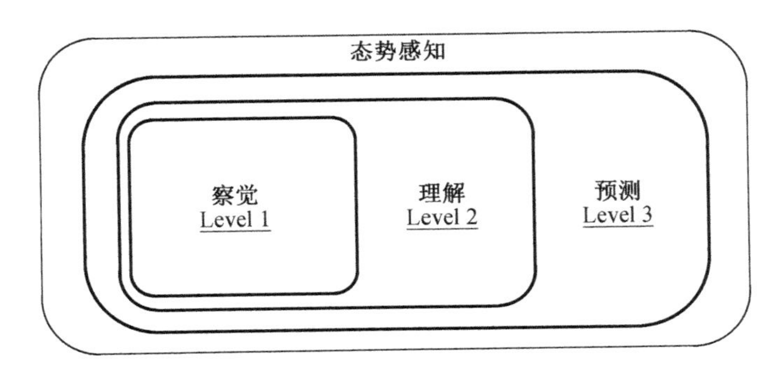

图 2－1　Endsley 态势感知模型

层次 1(Level 1):态势察觉。察觉是指通常数据链或侦察设备等获取战场环境中的信息要素,包括相关态势要素(自然环境、电磁环境和目标等要素)的状态、属性以及动向。态势察觉是态势评估首先要完成的任务。直升机和无人机协同作战时,直升机飞行员作为协同编组作战的决策者需要了解作战区域所有关于敌我双方位置、类型、数量、作战能力以及动态方面的准确信息,并掌握各方之间的关系,为后续态势理解和预测提供数据分析基础。

层次 2(Level 2):态势理解。态势理解是指根据 Level 1 中收集到的自然环境、电磁环境和敌我等态势信息,同时结合军事领域相关知识,对当前的战场态势进行分析和描述,对敌我双方的战场部署、作战意图、作战企图和所占优劣势等进行判断,形成对整个战场态势的统一理解。

层次 3(Level 3):态势预测。态势预测是对未来态势发展变化趋势的估计,它通过 Level 2 中对当前态势信息的理解,形成对当前态势在未来一段时间的变化趋势的推测,包括对下一周期战场实体及其状态、属性和能力以及实体间关系和行为的预测,敌方作战目的和意图的预测,和对敌方兵力和装备对我方的威胁预测等。

战场态势感知的概念主要集中战场态势、战场态势感知和战场态势可视化等方面。肖圣龙等在战场态势传统概念的基础上,对相关文献的论述进行综合,给出以上三个概念的具体论述,见表 2-1。

表 2-1　现代信息化条件下战场态势的相关概念

相关概念	定义
战场态势	指作战双方的作战要素的状态、形势与发展趋势,在战略层次上,包括敌对双方总体力量对比、战略部署与战略行动的状态、形势与趋势,同时包括敌对双方的社会人文环境等;在战术层次上,指敌对双方具体的兵力对比、兵力部署、作战计划、火力分配、作战意图以及具体的作战实体如作战平台、武器级具体武器目标的状态、形势与发展趋势
战场态势感知	把繁杂无形的战场态势信息通过信息处理、知识挖掘与表示等方法与途径转换成为人类可以接受与理解的方式,并以此进行决策的过程
战场态势可视化	是战场态势感知的一种方式,通过运用虚拟现实技术、地理信息系统、多媒体技术等将抽象复杂的战场态势信息以人眼可观的形式展示的处理过程

从辅助决策的角度出发,表 2-1 中三个概念的关系可以描述为:

战场态势界定战场态势信息的构成;战场态势感知描述战场信息获取及形成的过程;战场态势可视化是战场态势感知的一种方式与工具。

2.2　直升机和无人机战场态势感知系统

直升机和无人机协同态势感知，是指直升机和无人机通过相关设备和手段（光电、SAR、数据链）获取战场环境和目标的有关信息，从而让直升机飞行员/指挥员能够从获取的信息中抽象出对战场环境的整体性认识，实现对协同环境的认知，包括作战对象及目标的行动理解、态势评估、威胁估计及态势理解，属高层信息融合的研究领域。

针对直升机和无人机协同作战而言，战场环境感知与理解的研究任务是使直升机和无人机具备对战场空间内各类相关信息的收集及认知能力，理解其所处的战场态势，指导其决策和行动。其态势感知系统的主要环节包括目标感知、态势评估和可视化。这些环节处在信息流的前端，一方面，为后续决策和行动提供必要的信息输入；另一方面，可根据决策反馈的结果调整感知需求。如图 2－2 所示为直升机和无人机的协同态势感知信息流程图。

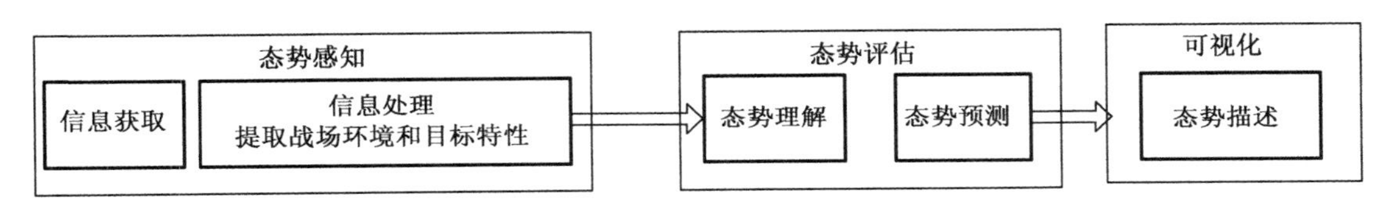

图 2－2　直升机和无人机的协同态势感知信息流程图

态势感知是在特定的条件下对目标因素进行信息采集、建模分析及智能预测；态势感知和数据可视化是相辅相成的；态势感知是系统的底层模型，可以使得系统尽可能地采集更全面的可信信息，颗粒度细分至建模分析决策所需的每一个场景信息，进而根据用户需求进行分析建模，模型搭建测试完善，就可以根据海量数据进行预测，进一步提供决策支撑。战场环境感知与理解主要分为三个阶段。

（1）信息的收集、感知阶段：利用侦察设备对多源、异构和多维战场信息进行提取，主要包括传感器技术、基于视觉的位置估计、高价值目标的检测与识别以及动目标跟踪技术。其中目标跟踪是在目标检测识别的基础上，对目标进行持续性定位。

（2）信息的感知和理解阶段：根据战场信息觉察结果进一步理解并融合目标信息，评估目标身份、意图和威胁，结合地理信息系统构建战场整体态势图，主要包括多源异构数据融合、目标身份意图识别、目标行为理解、时空环境信息表示和目标威胁评估等技术。多源异构数据融合技术包括目标知识抽取、关系关联和关系推理等，难点为异构数据的统一表征和融合模型的建立。

（3）战场感知预测和可视化阶段。根据战场信息察觉和感知理解的结果，对战场态势预测以及可视化显示，为指挥员指定对应策略提供支撑，主要包括态势生成与理解、可视化等技术。

2.3 战场态势感知的关键技术

吴立珍等认为战场环境感知与理解的技术体系围绕着感知特征的提取和表达、感知信息的理解与学习以及感知数据融合三个核心科学问题，由技术复杂度、拓扑结构以及实现技术三个发展主线组成，共同构成了一个三维的技术发展空间，如图 2－3 所示。

（1）技术复杂度主线依照感知信息的处理流程，描述了战场环境感知与理解在信息流各个阶段的技术情况，是技术分布最为密集的一条主线。

（2）拓扑结构主线描绘了为解决分布式传感器协同感知问题而发展起来的相关技术，主要包括时空一致和分布式信息融合等。

（3）实现技术主线所涵盖的技术主要包括实时高速计算体系、分布式处理架构等。

为了适应无人机网络化作战的需要，战场感知系统正向着多平台、多传感器的方向发展，使得多传感器信息融合技术逐渐成为当前实现战场环境感知与理解的关键和核心。下面结合直升机和无人机协同作战的技术应用，阐述目标检测和识别、运动目标跟踪与行为理解、态势评估与威胁估计，以及可视化技术等四项关键技术的研究重点和难点问题。

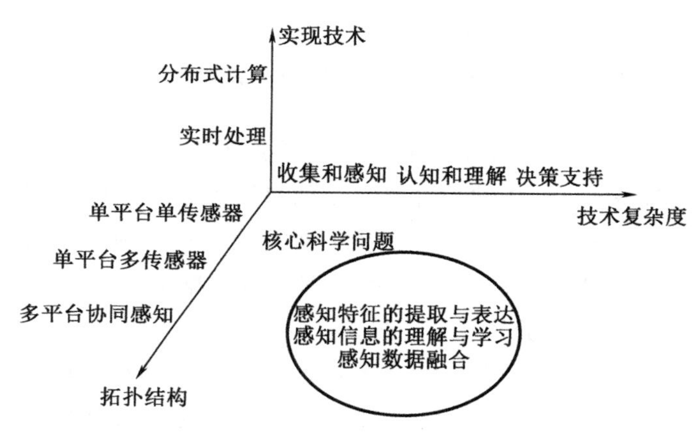

图 2－3　战场环境感知与理解的技术体系

2.3.1 目标检测和识别

直升机和无人机协同作战的重要使命之一是完成对高价值目标的侦察和打击。高价值目标（图 2－4）主要包括军营、油库、港口等分布比较集中的建筑群；较大尺寸的桥梁、车站、机场、阵地；尺寸较小的独立房、车辆、飞机、舰船；公路、铁路、隧道、水渠和机场跑道等结构上具有延伸或序贯特性的目标等。高价值目标的检测和识别是直升机和无人机协同作战的前提。

目标检测和识别是计算机视觉领域的核心问题之一，其目的就是在获取的图像中找到感兴趣的目标，确定它们的位置，并对其进行分类。由于遮挡、光照以及目标形态的变化，目标检测一直是一个挑战性的问题。目标检测和识别通常可以分为基于传统图像处理的目标检测与识别算法和基于机器学习的目标检测与识别算法两大类。

传统图像处理的目标检测与识别算法通常包含区域选择、特征提取和分类回归三个步骤。首先，对输入的待检测图像进行遍历，生成大量的候选区域；然后，对候选区域进行特征提取；最后根据提取的特征信息进行回归和分类。

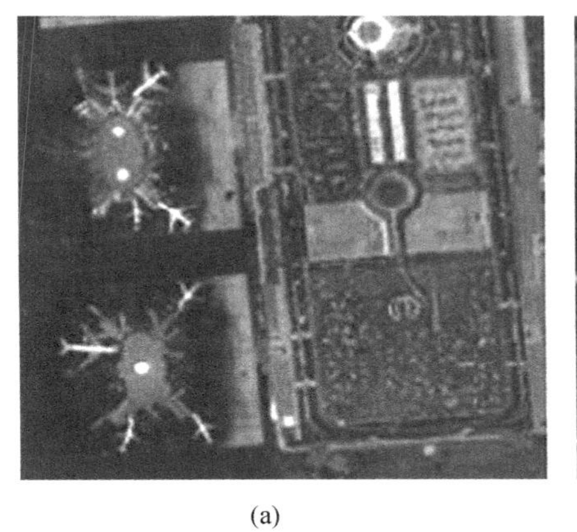

(a)

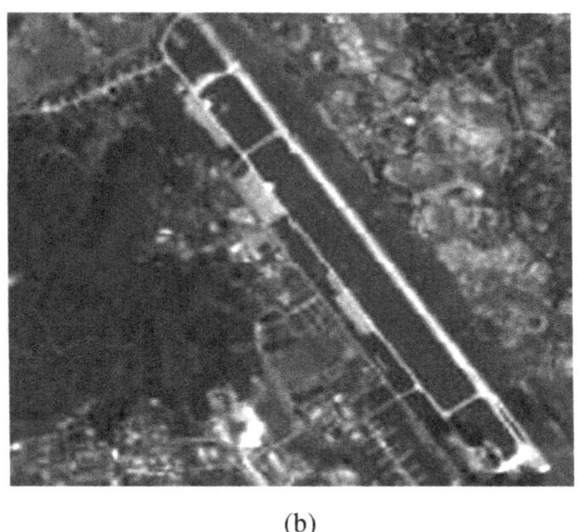

(b)

图2-4　重点感知的高价值目标

基于深度学习的目标检测和识别算法是目前的主流方法，通常可以分为以下三类。

(1)基于区域建议的目标检测与识别算法，包括R-CNN、Fast-R-CNN、Faster-R-CNN。

(2)基于回归的目标检测与识别算法，如YOLO、SSD。

(3)基于搜索的目标检测与识别算法，如基于视觉注意的AttentionNet、基于强化学习的算法等。

直升机/无人机协同目标探测和识别研究必须考虑的问题包括以下几点。

(1)如何结合实际复杂苛刻的战场环境，研究提出适用的目标检测和识别理论，有效解决光照、天气变化、目标遮挡和几何畸变等造成的检测和识别精度低等问题，以适应实际作战需要。

(2)如何利用多特征建模和多传感器融合等方法实现对伪装目标的准确识别。

(3)协同作战时目标检测和识别算法需要较高的实时性，如何在保证算法识别准确度的前提下，提高算法的计算速度。

2.3.2　运动目标跟踪与行为理解

运动目标跟踪与行动理解是计算视觉领域的另一研究重点。协同作战时运动目标跟踪首先通过背景运动估计或帧间图像匹配等手段完成运动目标的检测，对目标进行建模与描述；然后利用传感器观测数据，依据跟踪预测模型进行目标状态估计，在获得新的观测数据后进行跟踪校正；以此为基础进行目标行为的建模，辨识目标之间的关系以及这些关系的演变；最终完成目标行为的识别与分析，其处理框架如图2-5所示。

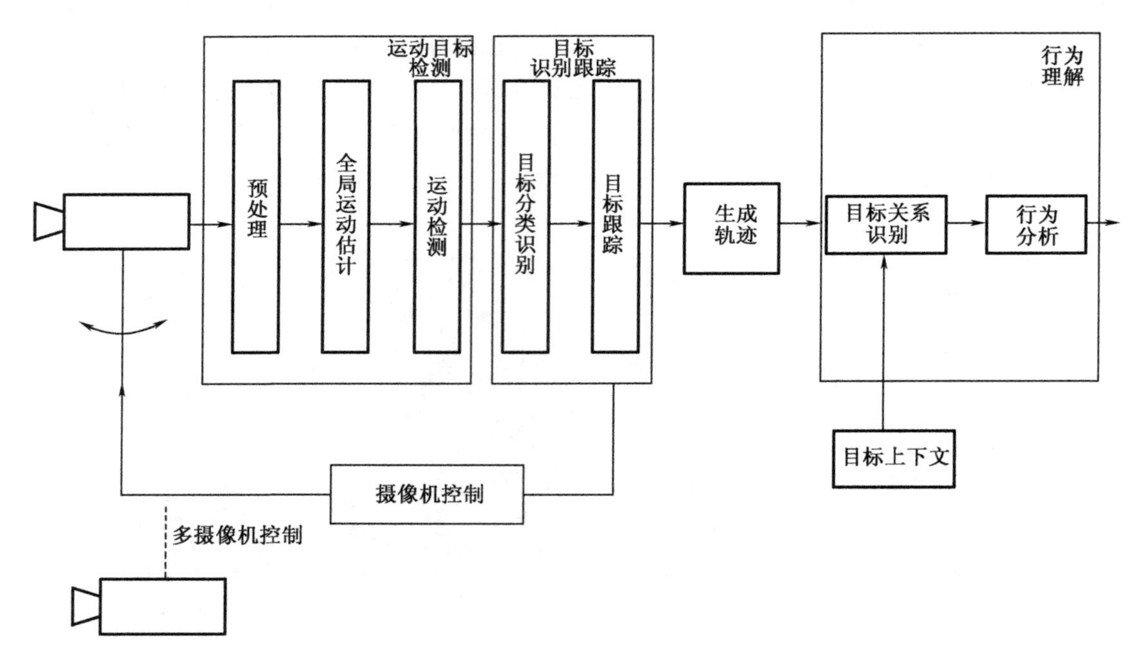

图 2－5 运动目标跟踪和行为分析处理框架

运动目标跟踪算法通常可以分为传统目标跟踪算法和基于深度学习的目标跟踪算法两种。

（1）在传统目标跟踪算法中，依据运动目标表达和相似性度量方法不同，可以分为四类：基于主动轮廓的跟踪、基于特征的跟踪、基于区域的跟踪和基于模型的跟踪等。跟踪算法的精度和鲁棒性很大程度上取决于对运动目标的表达和相似性度量的定义，跟踪算法的实时性取决于匹配搜索策略和滤波预测算法。

（2）基于深度学习的目标跟踪算法应用早期，主要方式是用深度网络提取目标的特征，然后把相关特征加入到相关滤波跟踪算法中，以增强目标的表示能力。另一种方式是以端到端的方式训练目标跟踪器，搭建端到端的输出结构，实现目标跟踪。

在直升机、无人机协同作战时，研究的重点和难点问题主要集中在以下几个问题：

（1）现有算法存在一定的假设局限性，缺乏足够的鲁棒性和准确性。战场环境的复杂性、背景的干扰、光照条件的变化、频繁的遮挡以及目标姿态变化、尺度变化、旋转等都会造成跟踪偏差或跟踪丢失发生。

（2）直升机和无人机协同作战时，为提高实时性，通常需要在机载平台完成对目标的跟踪和行为理解。如何使跟踪算法在满足机载硬件设备功耗、尺寸、质量等限制的条件下，完成对目标的准确跟踪，也是需要重点研究的问题。

（3）丢帧、跟踪框抖动严重（位置、大小跳跃厉害）等跟踪不稳定时的行动理解问题。实际应用场景中，由于各种各样的因素，目标锁定不够准确，会对目标行为分析造成非常大的负面影响。

2.3.3　态势评估与威胁估计

态势评估和威胁估计是直升机与无人机协同作战中最高层次的信息处理过程。进行协同作战态势评估是进行威胁估计和决策的前提。

态势评估通常是指在特定时空环境中感知要素、理解要素，并对未来一段时间内的态势发展趋势进行估计。直升机和无人机协同作战态势是指协同作战敌我力量部署和行为所形成的状态和形式，即整个协同作战战场的状态和形势，包括战场内敌我双方的人员、装备部署情况，气候、地形和电磁辐射等态势要素。协同作战时需要在多机、多传感器和多信息源融合的基础上进行态势评估，生成对战场态势的统一表示。传统的战场态势估计方法主要包括以层次分析法、主成分分析法、粗糙集、熵理论为代表的线性加权方法和以模糊集理论、贝叶斯网络、D－S 证据理论为代表的非线性态势评估方法。目前，以人工智能为基础的评估技术已逐渐成为战场态势评估的有效方法之一。

威胁估计则是在态势评估的基础上对战场上的威胁及其重要程度进行适时的完整评价。威胁估计属于数据融合系统最高层次信息融合处理，是对敌方威胁程度进行定量评估的过程，可以从目标运动轨迹（速度、加速度、高度等）、目标电磁辐射（载频、脉冲幅度、脉冲宽度、扫描周期等）、目标身份识别（战斗机、预警机、导弹、侦察机）等信息对敌方目标的威胁程度进行定量评估。通常使用的威胁估计方法主要有：贝叶斯推理、模糊推理、D－S 证据理论、对策论、多属性决策理论、遗传算法和人工神经网络等方法。

2.3.4　战场态势可视化技术

战场态势可视化技术的目的是促进对战场态势的理解。该技术通常将不可见的或抽象的数据、过程和结果转化为形象的、可见的符号或图形，以利于指挥员分析、理解和把握战场整体状态和发展趋势。战场态势信息通常包括自然环境、电磁环境等战场环境信息和敌我双方兵力部署情况、双方兵力运用变化等作战态势信息。这些信息多是具有时间维、空间维以及众多属性维的多维特征数据，信息复杂性高，理解难度大。可视化方法通过运用计算机图形学和图像处理技术将空间数据以字符、图形和图像等多种形式表示，并根据多种不同的空间和时间尺度、观察角度以及数据聚集方式来揭示战场态势中各信息隐含的内在联系和发展演化规律，在战场态势数据表现、知识分析与发掘方面具有明显的优势。直升机和无人机协同态势可视化通过把复杂的、不可见的战场态势以可视化的方式表现出来，可以方便作战人员通过视觉快速理解复杂的战场态势，是协同作战指挥员了解战场态势、正确制定决策、指挥部队的依据。战场态势可视化有二维态势显示和三维态势显示 2 种主要形式。

第3章　直升机和无人机协同作战图像预处理技术

3.1　机载图像预处理算法

直升机和无人机协同作战时,准确的目标识别和跟踪是实施打击的关键步骤。基于视频图像的目标识别和跟踪的准确度和图像的成像质量紧密相关,而协同作战时各机载平台在飞行过程中很容易受到风、云、烟等自然环境以及机载传感器、处理器等硬件资源和人为因素的影响,不可避免地会使采集到的视频图像带有噪声,从而导致后续的识别和跟踪算法准确度降低。图像预处理是机器视觉领域的一项重要技术,是指对图像进行的一系列以提高图像质量、减少噪声、增强图像特征为目的的操作,通常为保证识别和跟踪的准确度,首先应进行图像预处理。

3.2　图像去噪

3.1.1　图像噪声

图像噪声是指视频图像中存在的不必要的或冗余的干扰信息。图像噪声的缠身来自图像获取的环境条件和传感元器件自身的质量。如在大视场、目标较小的高空机载侦察条件下,图像噪声可能会导致对重要目标的识别错误,将高价值的军事目标类别混淆,难以对目标进行准确跟踪,甚至出现检测和跟踪失败,贻误战机的情况。由此可以看出,图像噪声会使特定目标的图像特征以及边缘检测效果出现损坏,对图像质量的破坏严重,极大可能会影响预定识别工作的完成。

无人机机载条件下噪声的产生是由于在采集和传送图像的过程中的客观因素,比如内电子器件的感生噪声、感光物料热噪声、光电伺服装置运动的振动噪声等。从以上列举的噪声来看,出于其产生的途径,在处理前采集和传输无噪声的理想图像是不容易的。由于噪声产生的时间和方式的不确定性,通常只能在噪声产生以后去寻找合理和有效的办法去消除噪声。

如图3－1和图3－2所示,图像中常见的噪声主要有椒盐噪声和高斯噪声。经过与图

3－3 所示原始图像的对比，可见噪声对图片质量和人眼视觉的影响很大。高斯白噪声的二阶矩不相关，一阶矩为常数，是指先后信号在时间上的相关性。其概率函数满足：

$$p(x)=\frac{1}{\sqrt{2\pi}\delta}\mathrm{e}^{\frac{-(x-\mu)^2}{2\sigma^2}} \tag{3-1}$$

图 3－1　含椒盐噪声的图像

图 3－2　含高斯噪声的图像

图 3－3　原始图像

椒盐噪声是由图像传感器、传输信道、解码处理等产生的黑白相间的亮暗点噪声，是由信号脉冲强度引起的噪声，其概率函数满足：

$$\begin{cases} P(a), & z=a \\ P(z),P(b), & z=b \\ 0, & \text{其他} \end{cases} \tag{3-2}$$

椒盐噪声是出现在随机位置、噪点深度基本固定的噪声，高斯噪声与其相反，是几乎出现在每个位置上、噪点深度随机的噪声。

3.1.2　图像滤波

从以上列举的噪声来看，考虑其产生的途径，在处理前采集和传输无噪声的理想图像是不容易的。由于噪声产生的时间和方式的不确定性，因此通常只能在噪声产生以后去寻找合理和有效的办法去消除噪声。

常用的图像滤波方法有中值滤波、均值滤波、高斯滤波等。本章将对三种滤波方法的基本原理进行阐述，并用峰值信噪比（PSNR）这一指标来检验滤波算法性能。

1. 中值滤波

中值滤波法是将每一像素点的灰度值设置为该点某邻域窗口内的所有像素点灰度值的中值。图 3－4 所示为中值滤波原理图，用一个奇数点（图中选用 3×3 矩阵）的移动框，将框内中心点值用框内各点的中值代替。假设窗口内有 9 个点，其值为 10，20，5，30，20，40，20，6，50，窗口内 9 个点的中值是 20，即用 20 来代替中心点的像素值。

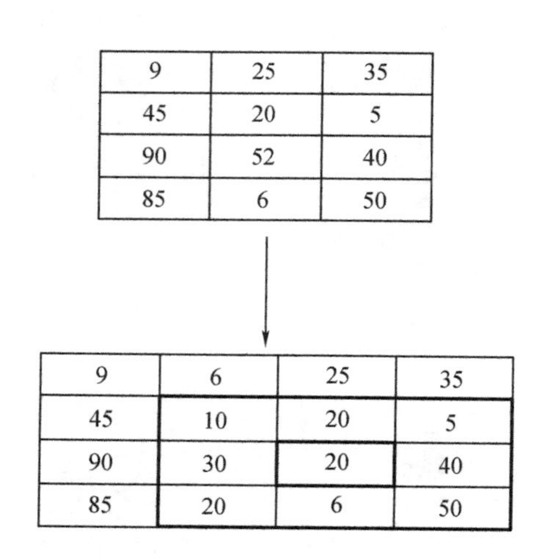

图 3－4　中值滤波原理图

图 3－5 所示为中值滤波各模板处理效果，从图中可以看出，其对重要目标的边缘特征保护良好而且对图像的平滑处理效果较好，在视觉程度上减轻了对重要军事目标模糊不清的现象。但它的缺点也是比较明显的，在无人机机载条件下获取的图像中如果含有大量的干扰点和其他物体的线性细节，中值滤波并不适合。该方法主要面临的问题是无法轻易选定最优框尺度，需要从小框体向大框体进行反复尝试，从中选出最优尺度框。

(a)高斯噪声3×3中值滤波

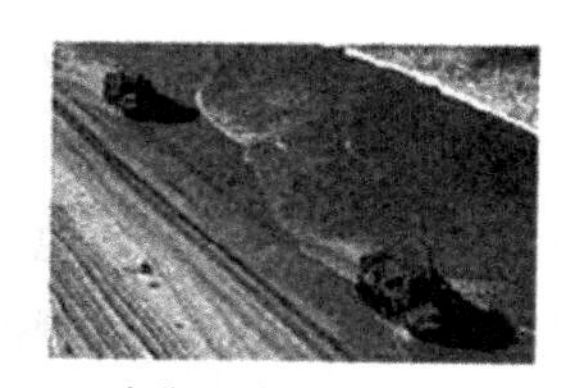

(b)高斯噪声5×5中值滤波

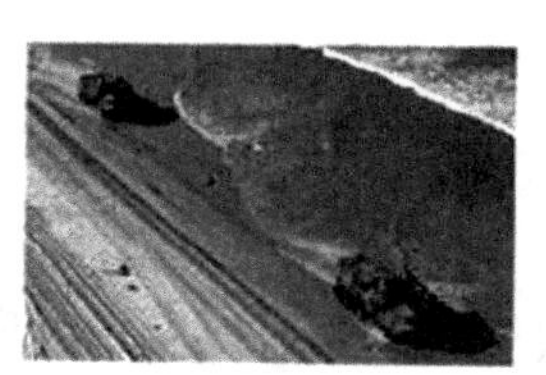

(c)高斯噪声7×7中值滤波

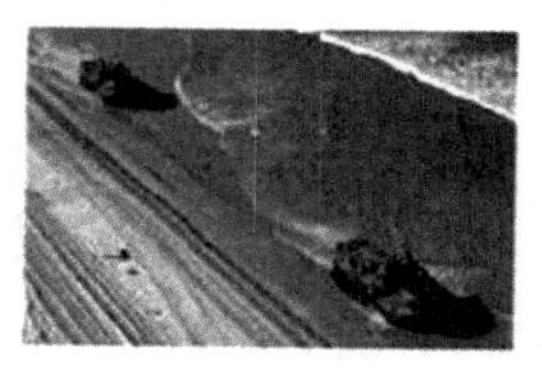

(d)椒盐噪声3×3中值滤波

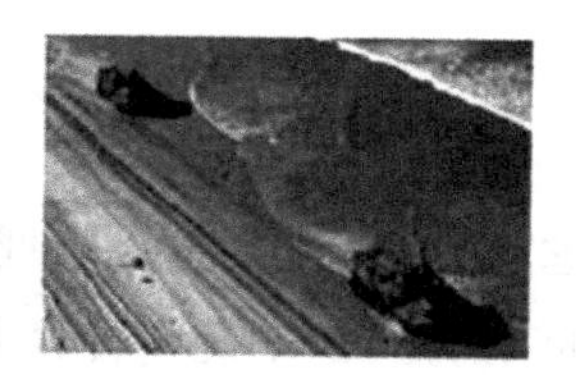

(e)椒盐噪声5×5中值滤波

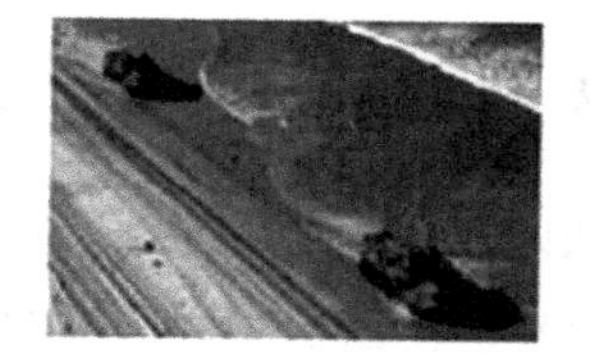

(f)椒盐噪声7×7中值滤波

图 3－5　中值滤波各模板处理效果

2. 均值滤波

均值滤波采用邻域平均的理论，计算区域内像素点的平均值，得到的均值设置为区域内的像素值，将此过程覆盖需要处理的图像各个像素，即可完成滤波。该算法处理效率高且易于实现。

图 3－6 所示为均值滤波原理图，均值滤波的基本原理是，假设有一幅包含噪声的图像 $f(a,\ b)$，经过均值滤波器滤波后，得到的去噪后的图像为

$$g(a,b) = \frac{1}{H}\sum_{(a,b)\in S} f(a,b) \tag{3-3}$$

式中，S 为点 (a,b) 某一邻域内点的集合；H 为 S 内点的总个数。

a_1	a_2	a_3
a_4	a_5	a_6
a_7	a_8	a_9

输出中心像素的邻域均值 Q

$$Q = \frac{a_1 + a_2 + a_3 + a_4 + a_5 + a_6 + a_7 + a_8 + a_9}{9}$$

图 3－6　均值滤波原理图

通过 MATLAB 软件对均值滤波各模板的处理效果如图 3－7 所示。

由图 3－7 可见，均值滤波时，图像处理效果的好坏，关键在于选取的模板是否合适。选择模板越大，均值滤波处理图像的效果越好，但也会使图像更模糊。原因在于：均值滤波时采用了对像素点的平均运算，图像内的像素点也会因为数值平均而导致图像模糊。由此可见，图像在局部区域内存在差异，图像的边缘特征不关键的情况下可用均值滤波。

3. 高斯滤波

整幅图像中的像素点数值都是用它本身和邻近区域中像素值进行加权平均而获得的。高斯滤波后图像被平滑的程度取决于标准差。它的输出是邻域像素的加权平均，同时离中心越近的像素权重越高。如图 3－8 所示，高斯滤波相比于均值滤波的平滑效果和边缘保护性更好。

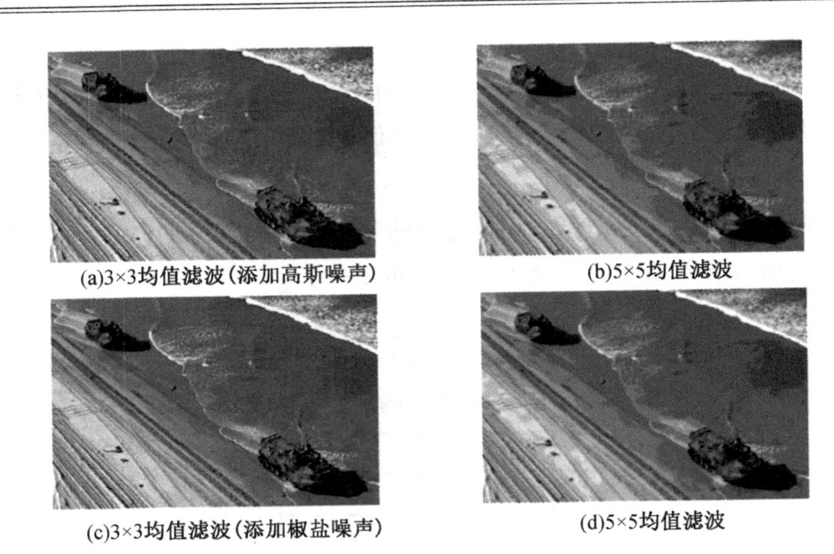

(a)3×3均值滤波(添加高斯噪声)　(b)5×5均值滤波

(c)3×3均值滤波(添加椒盐噪声)　(d)5×5均值滤波

图 3-7　均值滤波各模板处理后的效果

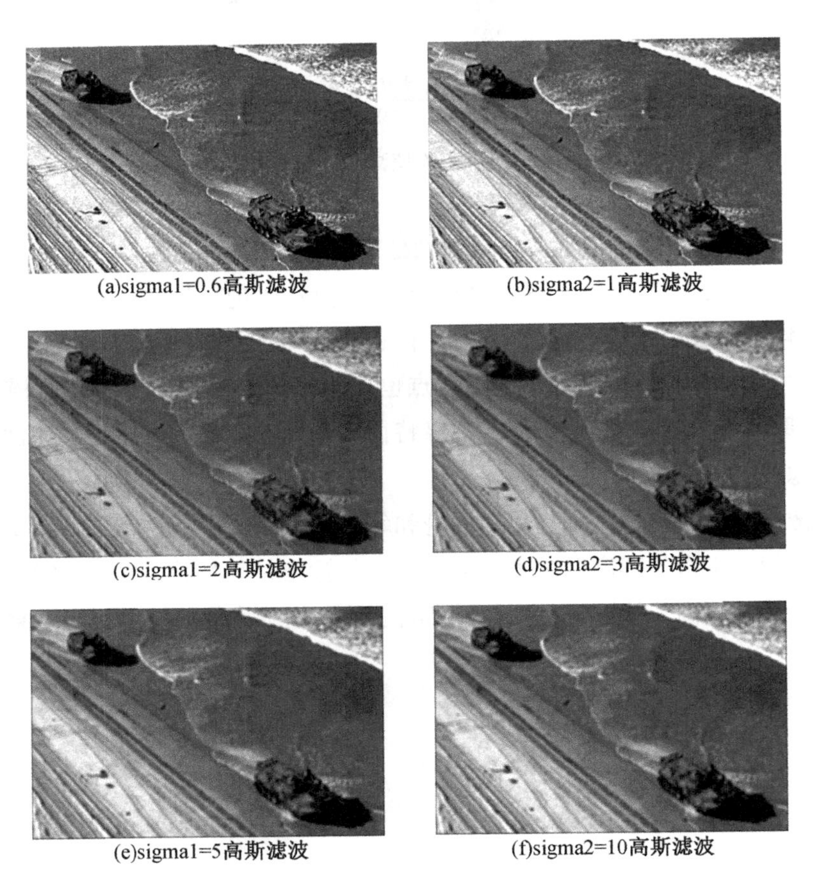

(a)sigma1=0.6高斯滤波　(b)sigma2=1高斯滤波

(c)sigma1=2高斯滤波　(d)sigma2=3高斯滤波

(e)sigma1=5高斯滤波　(f)sigma2=10高斯滤波

图 3-8　高斯滤波 3×3 模板下不同标准差处理结果

3.1.3 峰值信噪比检验滤波效果

峰值信噪比(PSNR),即最大值信号的能量与图像背景噪声的平均能量之比,是对图像质量效果检验的一种客观标准。表示的时候取 log 对数变成分贝(dB),通常采用 PSNR 作为图像处理效果的指标。MATLAB 仿真处理效果采用的公式如下:

$$\mathrm{PSNR} = 10\lg_{10}\left[\frac{(2^n-1)^2}{\mathrm{MSE}}\right] \tag{3-4}$$

对各种滤波处理后的 PSNR 数值记录如表 3-1 所示。已知 PSNR 数值越大,代表的图像处理后的失真越小,结合三种滤波处理效果和表 3-1 的 PSNR 数值分析来看,三种滤波方式的 PSNR 数值均在 40 dB 以上,但均值滤波效果较差,其他两种滤波处理后效果接近。故从去噪效果和对机载条件下重要军事目标的图像边缘保护效果来看,结合以上两种滤波的优缺点,中值滤波更适合应用在无人机嵌入式设备中,从而有助于后续对图像中的重要军事目标进行识别研究。

表 3-1 不同条件下的 PSNR 实验数据

滤波方法	中值滤波	均值滤波	高斯滤波
PSNR/dB	45.465	40.283	46.109

3.3 传统图像增强技术

受恶劣天气、光照不足以及战场中烟雾等因素的影响,直升机和无人机协同作战进行战场态势感知时,很可能会出现图像质量受损、色彩偏暗、细节模糊、对比度下降等情况。虽然在低照度下,协同编组人员可以根据实际情况采用红外热成像技术进行侦察,但是其技术缺点不可忽视:图像无彩色且图像对比度低,分辨细节能力较差;成本高、价格贵;监控对象的具体特征不能识别。所以,在大部分低照度情况下,最合适、最有效的办法是采取低照度图像增强来监控地面情况,且对于操作手、指挥员都有一个良好的观察视觉。提升直升机和无人机协同编队的机载视频图像智能化处理能力,可有效提高编队的情报处理时间,减少协同作战编队数据传输负担,提高 OODA 环的反应时间。对此,开展恶劣环境下图像增强技术研究以进一步提高图像的质量是非常有必要的。

3.3.1 图像增强技术现状

图像增强是改善图像质量的一种常用技术,其目的提高图像的质量和可辨识度,使图像更利于观察或进一步分析处理。在直升机和无人机协同作战时,光照变化大,光照因素是影响机载视频图像质量的一个关键因素,在傍晚、大雾、夜间等光照环境较差的条件下,图像易出现细节丢失、分辨不清等现象。低照度图像增强的目的是通过一系列算法和技术，增强在低照度或弱光条件下拍摄的图像的亮度和对比度，改善图像细节，最终提高图像可视化质量。对低照度的图像进行增强，主要是运用各种数字变换，突出图像中特定的信息，抑制或消除噪声，具体表现为消除不良影响，提取有效信息，提高侦察图像的质量，将增强后的图像视频用于地面站的实时显示和回传指挥所等。至今已经有很多研究人员对低照度图像增强的方法和在高空拍摄方面的应用进行了研究，将增强算法分为传统的图像增强方法和基于数据驱动的图像增强方法。传统的低照度图像增强方法有直方图均衡法、基于 Retinex 理论的低照度图像增强方法、基于图像融合的方法、小波变换算法和基于物理模型的方法。

1. 直方图均衡法

直方图均衡法（histogram equalization，HE）是图像增强领域中非常经典的方法，其原理为将低照度图像的像素值分布转换为正常光照图像的像素值分布，从而使得灰度值在整体上均匀分布，进而改善图像的质量。Zhang 等对直方图进行剪切，区别对待图像中的明暗区域。直方图均衡化方法计算时间短，实现简单，该算法主要是对图像整体增强，无法统筹部分细节信息，容易放大噪声并且产生过度增强现象，会出现图像颜色失真、高亮度区域细节丢失等情况。直方图均衡法实现简单，一般用于无人机昼间去雾，经改进的限制对比度自适应直方图均衡化（contrast limited adaptive histogram equalization，CLAHE）去雾效果差，但能对低照度图像起到良好的增强效果。

2. 基于 Retinex 理论的低照度图像增强方法

Retinex 理论最早由美国物理学家 Land 提出，该理论认为：人眼接收的图像是由物体本身具有的反射分量和照射到物体的光照分量相乘而得到的。图像的反射分量可以作为图像增强后的结果，也有学者将光照分量进行选择后与反射分量相乘得到增强结果。Jobson 等提出单尺度 Retinex（single scale retinex，SSR）、多尺度 Retinex（multi - scale retinex，MSR）以及带颜色恢复的 MSR 算法（multi - scale retinex with color restoration，MSRCR）。Wangs 等提出了一种基于非均匀光照的低光照算法，使得增强结果能够在很大程度上保持图像的细节和自然度。曹延虎提出基于 RGB 和 HSV 色彩空间的 Retinex 算法在阴影去除方面的应用。但是阴影去除算法中的尺度参数并非固定值，自适应改进有待探究。

3. 基于图像融合的方法

基于图像融合的方法是对雾天无人机高空拍摄的图像进行白平衡和对比度增强的操作，通过图像融合和自动色阶处理，最终得到复原图像，其对低照度图像增强有一定借鉴意义，但是需要多张不同曝光的图像合成，复杂度高、实时性较低。

4. 小波变换算法

小波变换算法是在傅里叶变换的基础上进行改进，具有低熵、多分辨率特性，在抑制噪声方面与细节保持方面表现突出，但在处理后的图像对比度方面和抑制噪声方面效果欠佳。Xin Lin 等提出了多尺度小波变换算法，引入开放暗通道模型，具有强实时性，细节增强效果明显。闫贝贝等提出了一种基于小波系数阈值的无人机影像增强算法，将彩色图像由 RGB 颜色空间转换到 HSV 颜色空间，进行小波变换得到亮度分量的高频分量和低频分量，对两者分别进行阈值增强和对比度拉伸，最后通过小波反变换得到增强后的亮度分量，结果表明这种算法有效改善了图像的视觉效果,增加了图像的细节信息,锐化了图像边缘。

5.基于物理模型的方法

基于物理模型的方法是将低光照图像进行反转,从而得到类似雾天图像,将低光照增强与图像去雾相结合。Dong 等将低光照图像进行反转得到类似雾天图像,然后使用反转后的图像计算当时环境的透射率与全球大气光成分。将得到的系数,代入低光照成像模型,从而求解出增强图像。

虽然上述传统的低照度图像增强方法能够在一定程度上提高图像整体效果,但是会出现颜色失真、像素扭曲等现象,增强后图像的质量不高。基于数据驱动的图像增强方法,主要通过机器学习或者采用网络进行训练,在处理效果上有较好的表现,并具有较好的泛化性,但需要大规模数据集进行训练,算法的优劣对数据集的依赖较强,数据集由大部分人工合成,与实际情况有区别,所以增强的图像中会存在过曝光和欠曝光的区域。Lgnatov 等使用手机相机(低质量图像)和单反相机(高质量图像)来获得同一场景的图像对,然后采用端到端的训练方式实现低质量图像到单反质量图像的转换。翁子寒通过训练深度神经网络来学习低照度下原始数据(RAWDATA)的图像处理,用端到端方法进行了一系列算法,包括颜色转换、去马赛克、降噪、伽马校正与自动曝光等。并且在图像处理过程中也进一步避免了传统方法中噪声放大与误差累积问题。郭昌等提出一种基于卷积神经网络的无参考侦察图像质量评价方法,并将其应用于高空侦察图像增强处理中,预测出的图像质量分数与人眼视觉感知具有较高一致性。目前,虽然基于数据驱动的方法对低照度图像增强效果较好,但是仍存在图像中一些细节恢复得不够充分的问题。

3.3.2 基于双伽马校正的限制对比度自适应直方图均衡化原理

直方图均衡化也称为灰度均衡化,先对图像上每个灰度等级的数量进行统计,经过变换函数对图像进行非线性拉伸,重新分配图像灰度级分布,对图像中个数多的灰度级进行展宽,对图像中个数少的灰度级进行压缩,从而扩大图像原取值的动态范围,提高亮度和对比度,使图像更加清晰。但是直方图均衡化的缺点也很明显,经过拉伸的图像噪声、亮度都被放大,且图像的较亮区域颜色失真,拉伸过强。低光照条件下拍摄的图片包含大面积的平滑区域,有灰度等级相差不大的情况,动态范围窄,很容易过度增强。

Zuiderveld 等提出了 CLAHE(contrast limited adaptive histogram equalization)算法,针对 HE 算法增强结果中的噪声放大问题进行优化。Chang 等在此基础上进行了改进提出了 Dual Gamma Clahe 算法:第一,将需要通过几个图像块的直方图来确定剪切点的形式转换成由各个图像块来确定,不同灰度范围的图像块处理后更加自然;第二,增加了双伽马校正,有利于增强暗区域的亮度并且抑制亮区域对比度,可将光照不均匀图像处理得更好。

过程为:先创建直方图,计算剪切点 β,重新分配直方图,进而获得映射函数 $T(l)$,映射出新的图像块灰度级后,在块之间执行双线性插值以消除可能的块伪影,得到增强后的图像。

具体实现步骤如下。

(1)将图像分成若干个大小相等的矩形图像块进行直方图的创建。

(2)自适应剪切点的计算。基于灰度平均值 Avg 和标准差 σ 代表块的纹理梯度,不同的动态范围分配有不同剪切点,公式为

$$\beta = \frac{M}{N}\left[1 + P\frac{l_{max}}{R} + \frac{\alpha}{100}\left(\frac{\sigma}{\text{Avg} + c}\right)\right] \tag{3-5}$$

式中 σ——块的标准差;

Avg——灰度平均值;

c——常数;

l_{max}——图像块中灰度级最大值;

R——图像的动态范围;

P——增强因子,控制灰度级动态范围,通常根据经验设为 1.5;

α——方差增强参数,发挥权重的作用,依据经验设为 100。

纹理梯度越明显,σ/Avg 的值越大。

(3)映射函数的计算。由概率密度函数 $pdf(l)$ 得到累积分布函数 $cdf(l)$,原图像块的灰度级分布得到调整,之后就可以计算出新的映射灰度级,公式为

$$cdf(l) = \sum_{k=0}^{l} pdf(l), T(l) = cdf(l) \times l_{max} \tag{3-6}$$

(4)通过双伽马校正获得两个映射函数。通过第一个伽马校正增强整个图像块的亮度,原图像块的特征得以保留,旨在提升整体亮度。映射公式为

$$T_1(l) = l_{max} \times W_{en} \times cdf(l) \tag{3-7}$$

式中 W_{en}——增强权重,$W_{en} = \left(\frac{l_{max}}{l_{\alpha}}\right)^{1-\gamma_1}$,用来扩大原图像块的 l_{max} 值。

第二个伽马校正作为前者的补充,旨在图像块同时包含非常暗的区域和亮的区域时,对暗区域进行很好的增强。映射公式为

$$T_2(l) = l_{max} \times \left(\frac{l}{l_{max}}\right)^{\gamma_2} \tag{3-8}$$

式中 l_{max}——图像块的最大灰度值;

l_{max}——参考灰度值,根据经验将其设置为累积分布函数中 0.75 的灰度级。

(5)得到最终映射函数并对步骤(4)进行补充。伽马校正使用时机是根据当前图像块的灰度级动态范围来确定的,最终的映射函数为

$$\text{如果}, r < D_{threshold}, T(l) = \max[T_1(l), T_2(l)], \text{否则 } T(l) = l_{max} \times \left(\frac{l}{l_{max}}\right)^{\gamma_2} \tag{3-9}$$

式中 r——图像块灰度级动态范围;

$D_{threshold}$——所设阈值,根据经验一般设为 50。

γ_1 和 γ_2 均由图像块的内容得出,公式为

$$\gamma_1 = \frac{\ln[e + cdf(l)]}{8}, \gamma_1 = \frac{\ln[e + cdf_w(l)]}{82} \tag{3-10}$$

式中,$cdf_w(l)$ 是加权分布函数,是由自动调整伽马的思想的数学实现的:

$$cdf_w = \sum_{j=0}^{l} pdf_w(j) / \sum pdf_w(l), pdf_w = pdf_w \times \frac{pdf(l) - pdf_{min}}{pdf_{max} - pdf_{min}} \tag{3-11}$$

(6)图像块之间进行双线性插值消除图像块之间的伪影。不同图像块得到的映射函数不同,极易产生块状伪影,所以对图像的亮度通道进行双线性插值以减小其影响。选择相邻四个图像块,设点 a、b、c、d 均为各自块的中心像素,其中 p 为四个中心点包围的任意灰度,双线性插值公式为

$$T[p(i)] = m[nT_a p(i) + (1-n)T_b p(i)] + (1-m)[nT_c p(i) + (1-n)T_d p(i)] \tag{3-12}$$

$$\begin{cases} n = (x_b - x_p)/(x_b - x_a) \\ m = (y_c - y_p)/(y_c - y_a) \end{cases} \tag{3-13}$$

式中　$T[p(i)]$——映射函数;

$p(i)$——坐标(x,y)的灰度映射值。

3.3.3　基于物理模型的低照度图像增强方法

利用倒置低照度视频/图像的直方图与在有雾天气下视频/图像的直方图有很强的相似性这一特性,通过运用雾图像模型,得

$$I(x) = J(x)t(x) + A[1 - t(x)] \tag{3-14}$$

式中　A——全球大气光成分;

$I(x)$——相机捕捉到的像素 x 的灰度;

$J(x)$——原始物体的像素灰度;

$t(x)$——透射率,表示物体反射的光到达相机的百分比,将输入低照度图像反转,运用雾图像模型解算出 $J(x)$,再进行翻转得到增强图像。

具体实现方法如下。

(1)将输入的低照度图像分别在 R、G、B 通道进行反转,公式为

$$R^c(x) = 255 - I^c(x), c \in \{R,G,B\} \tag{3-15}$$

式中　c——颜色通道;

$I^c(x)$——低照度图像 x 像素位置的灰度;

$R^c(x)$——反转后像素 x 位置的灰度。

(2)求出全球大气光成分 A。A 通常为一个常量,是一个三通道的数值,考虑这个元素的原因是阴天的时候,太阳光通常被忽略,在这种情况下图像中亮度最高的像素被看成是雾遮盖程度最大的,其值可以看作 A。实现方法如下:先对反转图像中的每个像素的 R、G、B 通道最小值进行统计,之后选出前 100 个通道最小值的像素,最后寻找这 100 个像素中 R、G、B 通道值之和最大的像素对应的灰度值,以便后续计算将其进行归一化。

(3)计算透射率 $t(x)$。

计算公式为

$$t(x) = 1 - w \min_{c \in \{R,G,B\}} \left[\min_{y \in \Omega(x)} \left(\frac{I^c(y)}{A^c} \right) \right] \tag{3-16}$$

式中,w 设为 0.8,$\Omega(x)$ 是以 x 为中心的局部块,此算法中区块大小设为 3×3。

(4)得到反转图像的去雾图像 $J(x)$,公式为

$$J(x)=\frac{R(x)-A}{t(x)}+A \tag{3-17}$$

为避免低光照区域的增强不足并提高物体边缘增强,对 $t(x)$ 进行优化,引入 $P(x)$ 因子,有

$$P(x)=\begin{cases}2t(x), & 0<t(x)<0.5\\ 1, & 0.5<t(x)<1\end{cases} \tag{3-18}$$

于是式(3-18)成为

$$J(x)=\frac{R(x)-A}{P(x)t(x)}+A \tag{3-19}$$

当透射率小于0.5时,表示对应像素更加朦胧,需要得到更好的去雾增强,$J(x)$会是一个较大值;当透射率大于0.5时,表示对应像素更加清晰,防止过度增强,$J(x)$会是一个较小值。

(5)对去雾图像 $J(x)$ 进行反转,得到最终的增强结果。经过实验,清晰度较高的低照度图像经过滤波处理后主观感受得到提升,但清晰度较低的实际低照度图像,增强后图像中有色块,经滤波处理后细节损失较多,所以在此不进行滤波处理。

3.4 基于深度学习的低照度图像增强方法

3.4.1 低照度下无人机侦察图像增强需求分析

物体通过反射太阳光和周围光线,由连续变焦可见光光学系统接收进而成像。光照强度是指物体光照部分的单位面积上所接受的光通量,光照强度是用于指示光照的强度的强弱和物体表面积被光照亮程度的物理量。低照度图像是在周围环境光照强度较弱、照射到物体表面光线不均匀或者背光等条件下由硬件设备采集物体的反射光而产生的。环境因素的影响和数据链路传输过程中的多径效应、噪声干扰,以及可见光侦察设备传感器的相互影响,导致低照度图像中的物体细节不能被人眼辨别。普通低照度图像通常分为暗光图像和宽动态图像。光照不足、不均匀会使图像存在大面积黑暗区域,图像灰度值低而形成暗光图像;由于图像的光照不均匀,一张图像会有极亮和极暗区域的宽动态图像。对于高空侦察的无人机机载图像,受地球大气影响,地面侦察目标会有极亮极暗部分,暗影拉长,并且天际与地面交界处也会形成上述宽动态图像现象。

3.4.2 基于深度学习与 Retinex 结合的低照度图像增强方法

Retinex 理论在图像处理方面发展成熟,其理论基础是三色理论和色彩常恒理论。该理论认为,采集到的图像是由物体的光照分量和反射分量共同构成的。但实际使用中,传统的增强方法对于低照度图像处理的速度非常慢,而且容易出现颜色失真、曝光过度或曝光

不足等现象，通过深度学习网络，训练出估计输入图像的反射分量与光照分量模型，可以加快图像增强速度并且提高增强图像的自然度。

学习深度上下敏感域分解连接的低照度图像增强算法(learning deep context - sensitive decomposition for low - light image enhancement)具有上下域敏感分解网络(CSDNet)和上下文敏感分解对抗网络(CSDGAN)两种不同的训练方式以适应不同数据集，并且为满足快速推理的时间要求构建了轻量化的网络。

根据Retinex理论，图像由光照分量与反射分量构成，进行增强操作后，为避免过度增强，选择将反射分量作为增强的结果。本节算法运用双流估计机制，运用估计网络(RENet)对输入的低照度图像的光照分量和反射分量进行估计，在估计光照分量时引入光照引导算子用以更加准确地估计光照分量，特别是边缘和纹理信息，促使后面的处理稳定实现，在双流估计机制中加有上下敏感域分解连接来连接两个估计网络，此举的目的是去除原始图像中的光照分量，更有助于估计反射分量，提升增强图像的亮度、突出纹理信息和抑制伪影。

具体实现方法如下。

1. 双流估计机制

两个估计网络由光照分量估计网络IENet和反射分量估计网络RENet组成，其可以被表述为

$$I = N_{\mathrm{IENet}}(L_g), R = N_{\mathrm{RENet}}(L) \tag{3-20}$$

式中 N_{IENet}——IENet；

N_{RENet}——RENet；

L_g——输入的低照度图像的灰度图像。

IENet和RENet网络基于U-Net构建。

2. 光照引导

通过邻域的灰度值拓宽了输入图像的灰度分布，光照引导表被定义为拓宽后的灰度分布与原图像的灰度分布的差值。光照引导算子被定义为$IG(\cdot)$，公式为

$$IG(L_g) = A(L_g) + B(L_g) \tag{3-21}$$

式中，$A(L_g)$、$B(L_g)$分别由下式表达：

$$\begin{cases} U = \max_{i=1,2,\cdots,m-1} [L_g(i,:), L_g(i+1,:)] \\ A(L_g) = \max_{j=1,2,\cdots,n-1} [U(:,j), L_g(:,j+1)] \end{cases}$$
$$\begin{cases} f(a,b) = [L_g(i,j) - L_g(i+a,j+b)] \\ B(L_g) = \dfrac{1}{4}\sum_{k=\{-1,1\}} [f(0,k) + f(k,0)] \end{cases} \tag{3-22}$$

其中，i、j分别代表图像水平方向和垂直方向的像素索引。所以双流估计机制中的IENet表达式变为

$$I = N_{\mathrm{IENet}}[L_g; LG(L_g)] \tag{3-23}$$

3. 上下敏感域分解连接

上下域信息的利用对于深度学习网络非常重要，如视觉跟踪、物体检测等。连接两个子网络，表达式为

$$\overline{F}_{\mathrm{R}}^{i} = F_{\mathrm{R}}^{i} - F_{\mathrm{I}}^{i}, F_{\mathrm{R}}^{i} = \overline{F}_{\mathrm{R}}^{i} \tag{3-24}$$

式中，F_{R}^{i} 和 F_{I}^{i} 分别是 RENet 和 IENet 的第 i 个连接层（除去最后一层）产生的特征图；$\overline{F}_{\mathrm{R}}^{i}$ 代表上下敏感域分解连接后的更新特征图。

在最后一层输出增强图像，其表达式为

$$\overline{R} = R - I \tag{3-25}$$

式中，$\overline{R}$ 代表增强结果。

4. CSDNet 的损失函数

该网络结构利用成对的数据进行训练，同时考虑到数据集的成本较高，也设计了生成对抗网络 CSDGAN，在这里不做介绍。

损失函数如下：MSE 损失，均方根误差来约束最后的增强结果，表达式为

$$L = \|\overline{R} - \hat{R}\|^2 \tag{3-26}$$

式中，$\hat{R}$ 代表原始图像。

（1）感知损失，确保真实图片卷积得到的特征与生成图片的特征相似，表达式为

$$L = \frac{1}{W_{i,j} H_{i,j}} \sum_{x=1}^{W_{i,j}} \sum_{y=1}^{H_{i,j}} [\varphi_{i,j}(\overline{R})_{x,y} - \varphi_{i,j}(\hat{R})_{x,y}] \tag{3-27}$$

式中，i 和 j 分别设为 5，1；$W_{i,j}$ 和 $H_{i,j}$ 分别表示特征图尺寸。

（2）平滑损失，约束 IENet 的输出结果更加收敛，对于训练过程中的离散点不敏感，鲁棒性更强，表达式为

$$L_{\mathrm{S}} = \frac{1}{mn} \sum_{i=1}^{m} \sum_{j=1}^{n} smooth_{L_1}[I(x,y) - L_{\mathrm{g}}(x,y)] \tag{3-28}$$

其中 mn 是总的像素数，

$$smooth_{L_1}(u) = \begin{cases} 0.5u^2, & |u| \leqslant 1 \\ |u| - 0.5, & |u| > 1 \end{cases} \tag{3-29}$$

所以总的损失函数为

$$L_{\mathrm{CSDNet}} = L_{\mathrm{MSE}} + L_{P_1} + L_{\mathrm{S}} \tag{3-30}$$

3.4.3 基于零参考深度曲线估计的低照度图像增强方法

现有基于卷积神经网络 CNN 方法和基于对抗神经网络 GAN 方法对视频图像进行低照度增强、物体检测、人脸识别等，深度学习在计算机视觉领域得到很大应用。利用 Tensorflows、Pytorch 等深度学习框架搭建神经网络，将图像转换成数组进行特征的提取运算，得到满意的测试值后输出模型。本书引用的是 Li 等设计的深度曲线估计的低照度图像增强算法（Zero - DCE + +），实际处理速度快，网络参数少，最主要的是不需要标记数据集，训练方便，实际应用中灵活性高。其算法低照度图像增强原理如图 3 - 9 所示。

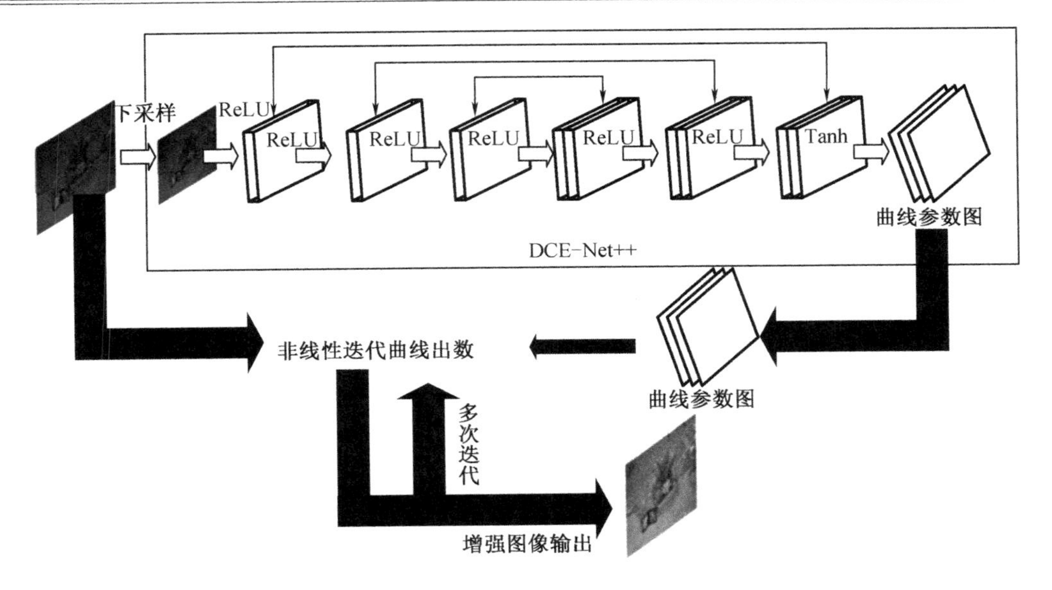

图 3-9　Zero-DCE++算法低照度图像增强原理

Zero-DCE++算法采用的是深度可分离卷积(depthwise separable convolution)网络结构，如图 3-10 所示，用该网络替代传统的卷积网络，其最大优点是计算效率非常高、参数数量非常少，不过其缺点是运算精度低。深度可分离卷积网络由逐通道卷积(depthwise convolution)和逐点卷积(pointwise convolution)两部分构成。逐通道卷积将输入的特征图的若干通道分别对应一个卷积核进行运算，输出的这些通道经过拼接得到逐通道卷积的最终输出，因为每个通道对应的卷积核只有一个，所以最终输出的结果是其通道和输入的特征图通道相同，但是通道与通道之间并没有任何运算将它们联系起来。逐点卷积为 1×1 大小的卷积核，对逐个通道卷积的结果进行通道融合，它可以控制输出通道的数量。

该算法的网络主架如图 3-9 所示，共七个卷积层，层与层之间由 ReLU 激活函数连接，第七层卷积与 Tanh 激活函数连接，4,5,6 卷积层分别与 3,2,1 卷积层级联，通过增加通道数来提高图像特征的利用。

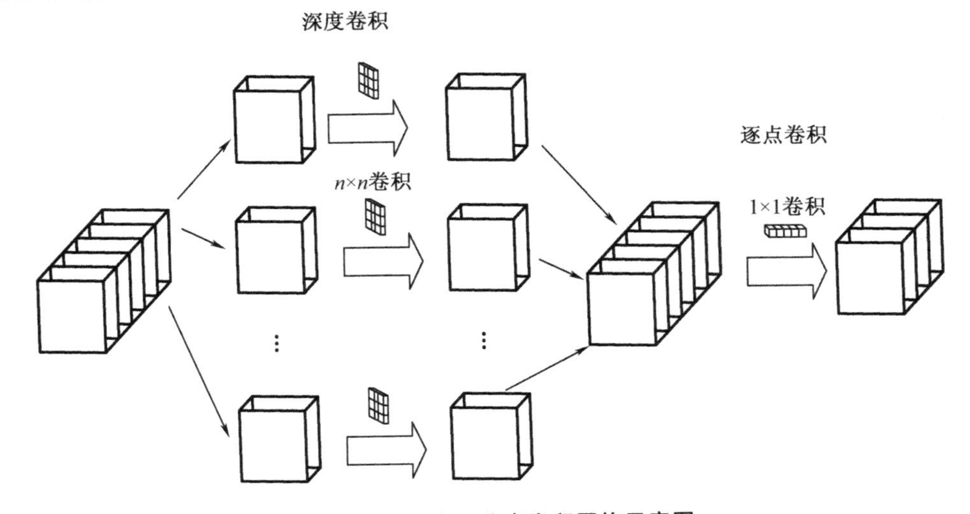

图 3-10　深度可分离卷积网络示意图

该算法的灵感来源于图像编辑软件中使用曲线来对原始图像进行调整的思想，通过设计深度曲线估计网络来估计一组最适合的光增强曲线，并反复应用这些曲线来映射所有像素的 RGB 通道值，最终获得肉眼感受良好的增强图像。

该算法共有三个主要部分，分别是：光增强曲线（light - enhancement curve，LE 曲线）、深度曲线估计网络（deep curve estimation network，DCE - Net）、非参考损失函数（non - reference loss functions）。

DCE - Net 用来估计输入低照度图像的曲线参数图（curve parameter maps），光增强曲线由曲线参数图构成，低照度图像的所有像素值依据光增强曲线进行新的映射，非参考损失函数用来训练 DCE - Net。

下面分别介绍这三个部分的实现。

1. 光增强曲线

因为每个低照度图像的色彩、对比度、亮度等有很大差异，所以光增强曲线也要随着输入图像的变化进行相应变化，呈现出自适应的特点，为了更好地保留图像原来的颜色，减少过度增强，光增强曲线应用在 R、G、B 通道。利用有雾图像模型，假设大气均匀无散射且透射率为 1，第二个加数改为图像的光照强度，所以光增强曲线变为

$$LE[I(x);\alpha] = I(x) + \alpha I(x)[1 - I(x)] \tag{3-31}$$

式中　x——像素；

$LE[I(x);\alpha]$——增强映射，α 取值为$[-1,1]$，可以调整 LE 曲线。

LE 曲线需要被多次使用以进行更多的调整，并且 α 是全局参数，但是需要适应不同像素，防止局部区域增强不足或过度增强，所以将 α 转变成针对图像上每个像素的参数。式（3 - 31）可以重新表述为

$$LE_n(x) = LE_{n-1}(x) + A_n(x) LE_{n-1}(x)[1 - LE_{n-1}(x)] \tag{3-32}$$

式中，n 为迭代次数；$A(x)$ 是曲线参数图对应输入图像中每个像素，其维度和输入图像相同。增强后的图像对应其曲线的参数图如图 3 - 11 所示。

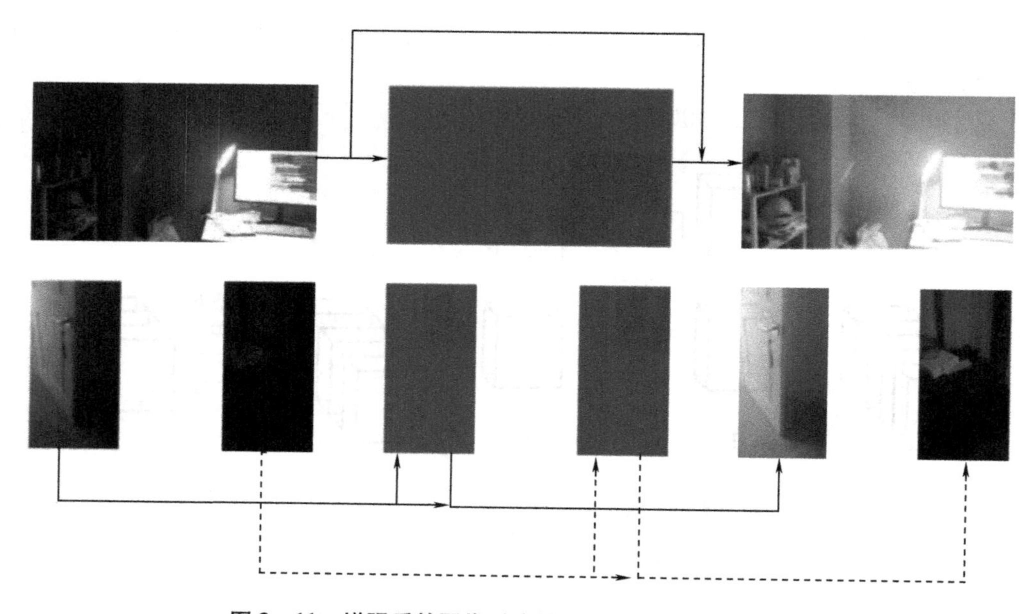

图 3 - 11　增强后的图像对应其曲线参数图（经过处理）

2. 深度曲线估计网络

学习输入图像与最佳拟合曲线之间的映射关系。该网络共由7个卷积层构成，前6个卷积层由32个大小为3×3、步长为1的卷积核和ReLU激活函数组成，第七个卷积层由24个大小为3×3、步长为1的卷积核和Tanh激活函数组成，每次迭代会在R、G、B3个通道上产生3个曲线参数图，训练时学习率设为10^{-4}。

3. 非参考损失函数

为使DCE-Net实现零参考学习，在网络的训练过程中增加了如下四种类型的非参考损失函数。

（1）空间一致性损失，保持输入图像与增强图像相邻区域的梯度，分别计算原图像与增强后的图像每个像素的三通道的均值，将图像分解为若干个3×3的块，求出每个块的平均强度，原图像定义为I，增强后的图像定义为Y，函数表达式为

$$L_{\mathrm{spa}} = \frac{1}{K}\sum_{i=1}^{K}\sum_{j\in\Omega(i)}(|Y_i - Y_j| - |I_i - I_j|)^2 \tag{3-33}$$

式中　K——局部区域的数量；

$\Omega(i)$——以区域i为中心的上下左右4个相邻区域。

（2）曝光控制损失，用来抑制曝光不足和过度曝光，将增强图像转为灰度图像，将图像分为若干个16×16的块并计算每个块的平均强度，函数表达式为

$$L_{\exp} = \frac{1}{M}\sum_{k=1}^{M}|Y_k - E| \tag{3-34}$$

式中　M——不重叠块的数量；

Y——块的平均强度；

E——灰度级，依据经验设为0.6（归一化后）。

（3）色彩恒定损失，根据灰度世界假设，有着大量色彩变化的图像的R、G、B分量的平均值趋于同一灰度值，所以色彩恒定损失可以用来纠正增强图像中色彩偏差，函数表达式为

$$L_{\mathrm{col}} = \sum_{(p,q)\in\varepsilon}(J^p - J^q)^2, \varepsilon = \{(R,G),(R,B),(G,B)\} \tag{3-35}$$

（4）光照平滑度损失，为保持相邻像素的对比度，在曲线参数图中加入光照平滑度损失函数，表达式为

$$L = \frac{1}{N}\sum_{n=1}^{N}\sum_{c\in\zeta}(|\nabla_x A_n^c| + |\nabla_y A_n^c|)^2, \zeta = \{R,G,B\} \tag{3-36}$$

式中　N——迭代次数；

∇——梯度运算。

总损失函数为

$$L_{\mathrm{total}} = L_{\mathrm{spa}} + L_{\exp} + W_{\mathrm{col}}L_{\mathrm{col}} + W_{\mathrm{tvA}}L_{\mathrm{tvA}} \tag{3-37}$$

式中，W_{col}和W_{tvA}为权重，分别设置为0.5和20。

在训练数据的选择上，该算法不需要高成本的制作，只需用多重曝光的图像训练，训练出的结果会在预测时产生令人满意的效果，如果数据集偏暗或偏亮，则预测结果会增强不

足或过度增强。

以上为 Zero - DCE 算法的实现过程,过程中需要经过 8 次迭代,产生 24 张曲线参数图,这增加了计算成本。一般情况下计算出的曲线参数图相似,因此可以重复使用,于是曲线参数图的数量降到了 3 张;可以用深度分离卷积层代替学习网络中使用的卷积层,将原卷积层改为一个深度卷积和一个点卷积,用来在保证相同增强效果的情况下减少网络参数;把下采样的低照度图像作为输入,将得到的曲线参数图进行上采样,恢复到原始图像的分辨率,这样可以降低计算成本。以上措施可以使 Zero - DCE 算法加速,得到更加轻量化、推理速度更快、效果保持完好的 Zero - DCE + +算法。

3.4.4 对于无人机机载低照度图像增强算法的结果比较

实验运行的环境是 Intel(R)Core(TM) i9 -9900 CPU @ 3.10 GHz 3.10 GHz,显卡配置是 NVIDIA GeForce GTX 1660 Ti。各算法的实验结果对比如图 3 - 12 所示。

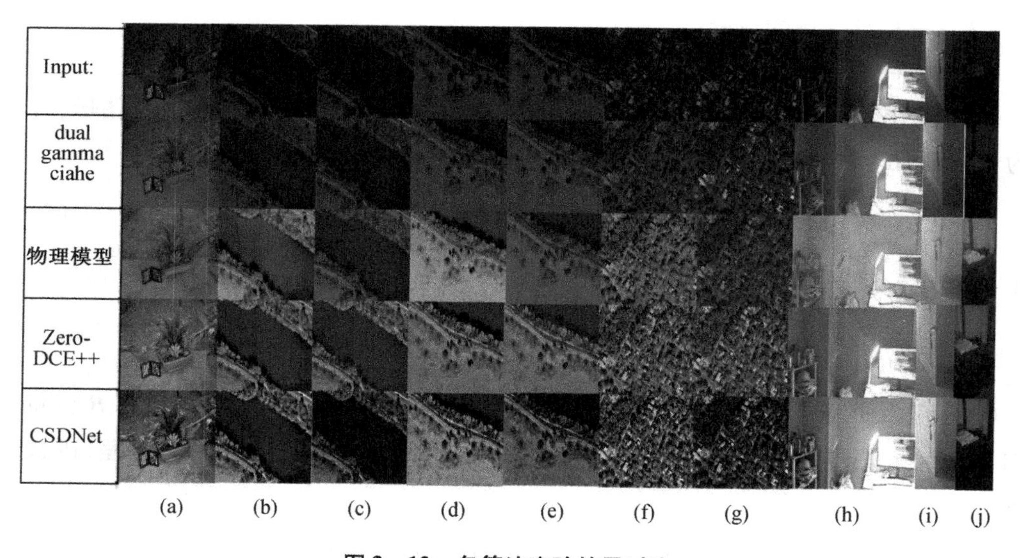

图 3 - 12　各算法实验结果对比

对各输出结果进行主观评价和客观评价。

主观评价:从图 3 - 12 各算法的实验结果对比来看,dual gamma clahe 增强结果整体亮度不高,且在图 3 - 12(h)中光照不均匀的情况下出现了色块的现象;基于物理模型的增强算法增强的亮度较高,但在图 3 - 12(a)(h)中物体边缘有伪影,背景模糊程度较高;Zero - DCE + +增强算法的增强结果整体泛白,对比度相较其他算法不强,图像的整体亮度较高;CSDNet 增强算法的增强结果相较于物理模型和 Zero - DCE + +算法对比度较高,色彩更加饱满,但亮度较低,图像的细节不能很好地体现,如图 3 - 12(j)所示。

客观评价如表 3 - 2 所示,由分数表可知,图像的细节表现方面,CSDNet 增强算法表现较好但不稳定;整体亮度方面,基于物理模型的增强算法表现优秀,Zero - DCE + +增强算法两方面综合表现良好,dual gamma clahe 增强算法两方面综合表现较差。人眼感受评价中,CSDNet 增强算法 9 项表现优秀、4 项表现较差;Zero - DCE + + 增强算法 5 项表现优秀、3 项表现较差;基于物理模型的增强算法 3 项表现优秀、4 项表现较差;dual gamma clahe 增强算法 3 项表现优秀、9 项表现较差。

装备在实际需求中更加偏重视频图像的亮度、清晰度,对比度在其次,结合对增强结果的主客观评价,本书选择 Zero - DCE + + 增强算法来改进装备中的低照度图像增强功能。

表 3 - 2　客观评价分数

算法名称	评价标准	图 3 - 12 (a)	图 3 - 12 (b)	图 3 - 12 (c)	图 3 - 12 (d)	图 3 - 12 (e)	图 3 - 12 (f)	图 3 - 12 (g)	图 3 - 12 (h)	图 3 - 12 (i)	图 3 - 12 (j)
平均梯度 (AG)	dual gamma clahe	0.003 3	0.033 5	0.013 2	0.009 7	0.002 1	0.010 5	0.144 2	0.029 9	0.151 9	0.176 8
	物理模型	0.003	0.030 3	0.022 1	0.009 7	0.004 3	0.018 6	0.193 5	0.063 7	0.160 3	0.187 8
	Zero - DCE + +	0.004 9	0.056	0.028 4	0.010 8	0.006 5	0.027 2	0.315 5	0.069 6	0.239 4	0.285 3
	CSDNet	009 6	0.067 6	0.038 3	0.015 1	0.008 4	0.031 9	0.114 6	0.086 1	0.144 1	0.142
亮度均值 (AB)	dual gamma clahe	103.19	80.88	59.86	129.31	19.7	36.36	39.24	49.91	64	56.5
	物理模型	166.46	107.71	131.31	178.82	71.14	92.28	60.75	96.1	86.14	70.08
	Zero - DCE + +	139.5	121.47	110.96	150.96	53.22	79.33	86.06	95.73	113.6	99.83
	CSDNet	161.81	113.89	114.51	169.04	40.47	68.58	41.4	88.56	81.77	58.73
DIQA	dual gamma clahe	75.170 6	11.075 9	18.136 5	62.172 8	83.264 9	17.027 9	74.311 1	28.217 7	60.655 8	60.770 9
	物理模型	66.045 4	13.887	17.981 7	55.758 3	58.122 6	22.220 5	65.499 5	20.641 5	56.039 1	54.892 9
	Zero - DCE + +	62.925	19.269 2	18.799	63.305 7	69.704 5	21.072	76.999 7	21.836 5	62.207 3	57.728 8
	CSDNet	36.207	19.427 7	20.825 5	56.861 1	62.085 5	26.337 3	25.807 8	19.858 8	24.269 6	14.562 3

第4章　直升机和无人机协同作战目标识别技术

4.1　概　　述

战场态势瞬息万变，直升机和无人机协同作战编队指挥员需要考虑多种复杂要素，综合分析直升机、无人机等装备机载雷达、光电吊舱等传感器数据，以及时应对作战任务需求。在此过程中，机组成员可能面临认知超负荷、意识丧失、任务效率降低等问题，人工处理信息的能力和战场态势感知能力受限。要在错综复杂的战场中完成对敌方高价值目标的侦察和打击，提高协同作战编队的任务管理能力和作战效能，首先需要解决的就是协同作战目标的识别问题，只有准确识别战场目标的敌我属性，才能为协同作战决策的制定提供依据，从而达到预期的作战目的。目标识别技术作为直升机和无人机协同作战的关键技术之一，可有效提高目标识别能力，促进协同作战效能提升。随着无人机察打一体化进程的加深推进，"发现即摧毁"的认知不断提高，如图 4 - 1 所示，各国对机载侦察过程中探测与识别的要求越来越高。同时，随着战场伪装和欺骗手段的不断升级，复杂环境下对目标的探测识别难度变得越来越大，探索一种准确率高、又满足机载平台实时性侦察的探测识别算法刻不容缓。

图4-1　无人机察打一体化

目标探测识别的准确性、实时性，直接决定了无人机能否更加高效地运用到战场侦察打击中，直接决定了未来无人机能否大规模运用于战争。然而，目前机载平台的识别算法存在很大的局限，识别精确性、实时性难以满足机载平台侦察需要，两者难以得到一个很好的平衡，不能够满足实时侦察打击的需要，如何进一步提高和改善目标探测识别的性能指标，一直是困扰众多研究者的难题。针对当前战场任务的需要，结合机载平台高空作战特点，总结需求分析如下。

(1)直升机和无人机多机协同作战，对机载平台目标识别系统的实时性和精确性要求提高。

(2)战场伪装防护、重要目标的隐蔽手段衍生，对目标识别的置信度要求提高。

(3)机载平台执行侦察、打击等任务时易受天气、噪声、遮挡等多因素影响，对图像畸变矫正、形变处理等要求提高。

4.1.1　传统目标探测与识别算法的分析

传统目标探测与识别算法按检测过程可以分成区域选择、特征提取和分类器分类三部分，如图 4－2 所示，即首先在给定的图像上选择区域，然后对这些区域提取特征，根据特征，最后使用训练的分类器进行分类。

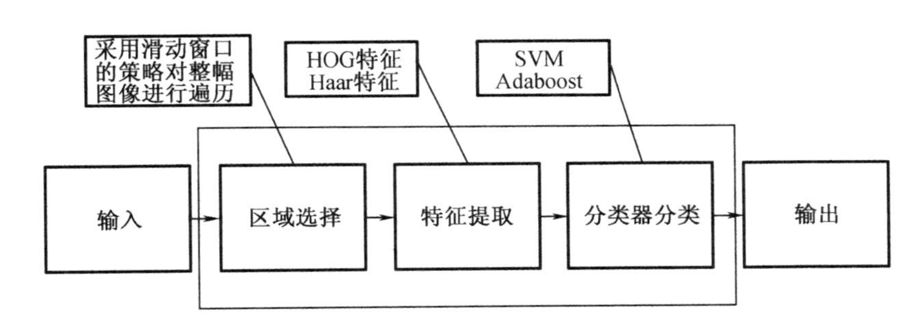

图 4－2　传统目标探测与识别算法检测过程

区域选择是为了对目标的位置进行定位。但由于目标可能出现在图像的任何位置，而且目标的大小、长宽比例不确定，所以最初采用滑动窗口的策略对整幅图像进行遍历，而且需要设置不同的尺度、不同的长宽比。使用穷举的策略虽然包含了目标所有可能出现的位置，但是缺点也是显而易见的：时间复杂度太高，产生冗余窗口太多，严重影响后续特征提取和分类的速度与性能。

传统的特征提取方法一般都是手工提取。特征通常包括 HOG(histogram of oriented gradient)特征、Haar 特征等，提取特征的好坏直接影响到分类的准确性。但是目标的形态多样性、光照多样性、背景多样性等多种因素使得稳定的特征提取较为困难。

分类器主要包括 SVM(support vector machine)、Adaboost(adaptiveboosting)等方法，通过与不同特征的提取进行组合，以获取更多的目标特征，训练出更具鲁棒性的分类器，得到更好的检测效果。常见的组合有 HOG + SVM、Haar 特征 + Adaboost 分类器等方法，其中 Haar 特征 + Adaboost 分类器的方法使用较为广泛。Haar 主要特征如图 4－3 所示，通常分为边缘特征、线性特征、中心特征和对角线特征四类，在进行特征提取时，为检测到更多的目标特征，通常对四种特征进行组合，这就难以使用单一的分类器完成检测任务，多个弱分类器组成一个强分类器的方法应运而生。级联分类器使用多个 AdaBoost 弱分类器级联而成，第一次使得目标检测成为现实。

基于 Haar 特征的级联分类器目标检测过程如下：首先使用固定大小的滑动框，滑过原图，得到多张子图，对子图提取不同的 Haar 特征，送入训练好的级联分类器进行特征判断。在分类器中，先把子图送入第一个弱分类器中，对子图特征进行判断，如果不满足分类器的要求，则该子图被剔除，转入下一张子图的判断；如果满足第一个弱分类器的要求，则子图进入第二个弱分类器，并继续进行判断，依次完成多个弱分类器的筛选，满足所有分类器要求的子图，会最终被确定为目标区域，完成目标检测的过程。这种方法可以快速舍弃没有目标的子图，使得检测速度大大提高，使用多个分类器级联，可以增强检测的效果，具体检测过程如图 4－4 所示。

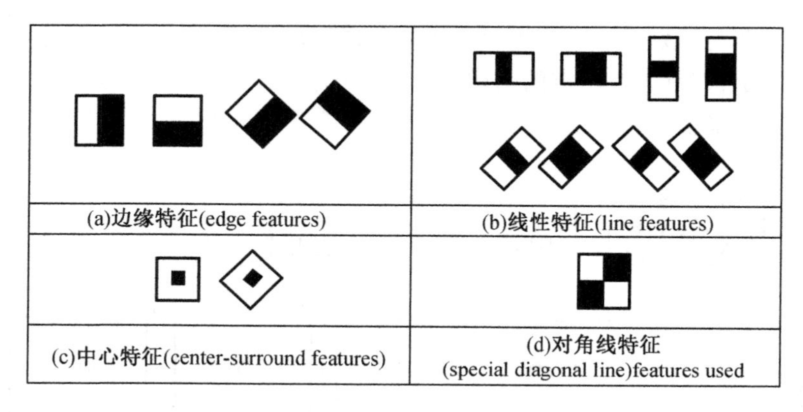

图 4－3　Haar 主要特征

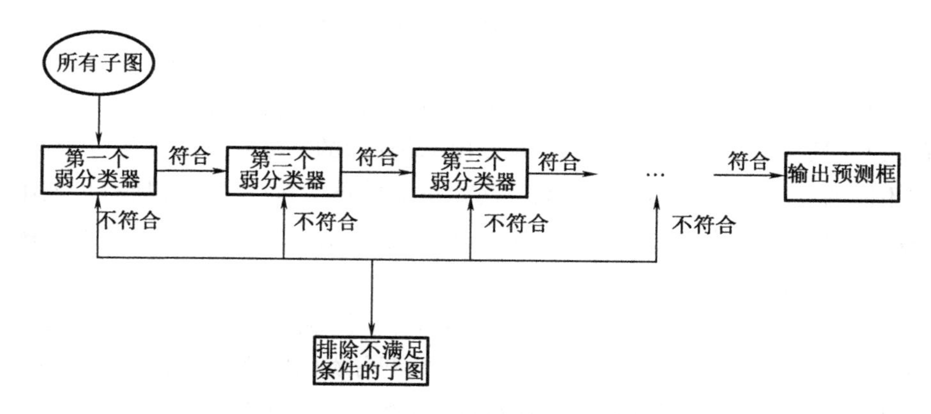

图 4－4　级联分类器目标检测过程

按照机载目标探测与识别算法要求，并结合机载平台飞行的实际情况，对算法检测过程进行分析，传统目标检测算法存在以下问题。

（1）基于滑动窗口的区域选择策略没有针对性，耗时长、窗口冗余、实时性差。

(2)目标存在遮挡时，传统目标检测算法难以进行准确识别。

(3)不具有尺度不变性，只能通过缩放检测窗口图像的大小来实现。

(4)识别效果不够好，准确率不高，尤其是在机载条件下，大视场小目标的识别效果不佳。

(5)计算量比较大，运算速度慢。机载程序进行框选目标时，容易出现各种情况，得出结果时间延迟，实时性难以保证。

(6)在高空复杂环境多样性下，难以稳定识别，可能会产生多个正确识别的结果。在复杂战场环境下，机载光电视场中多目标出现，目标隐蔽重叠，目标特征暴露不明显，使得识别结果出现偏差，影响主战指挥首长的判断。

4.1.2　深度神经网络目标探测与识别算法分析

传统的目标检测技术存在诸多局限性，而利用深度学习的特点，可以使目标检测技术降低手工特征提取的复杂度。如图4－5所示为基于深度学习的目标识别算法流程图。

图4－5　基于深度学习的目标识别算法流程图

深度学习目标检测算法通常分为两类，第一类是基于候选窗和深度学习分类的方法，这种方法解决了传统检测算法的缺点，具体检测流程：利用图像中的纹理、边缘、颜色等信息，预先找出图中目标可能出现的位置，即候选区域，通过提取候选区域，可以在选取较少窗口的情况下保持较高的召回率，大大降低了后续操作的时间复杂度，解决了滑动窗口存在的问题。有了候选区域后，下一步即对候选区域进行特征提取和分类。深度学习的快速发展将目标检测带入了一个全新的阶段，典型算法有：R－CNN(regions with CNN)、Fast R－CNN、Faster R－CNN等，如图4－6所示。

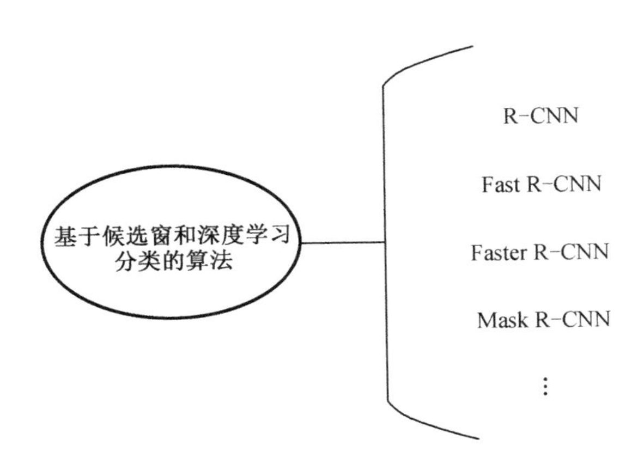

图4－6　基于候选窗和深度学习分类的算法

2006 年,Hintim 等提出了“深度学习”这一概念。2015 年,LeCun 等使用深度学习网络学习了数据的特征信息,由于深度学习网络的自主性,利用其研究目标检测,已经成为此领域的热门研究。2012 年,Image - Net 大规模视觉识别挑战赛(ILSVRC)上,Alex Krizhevsky 使用 AlexNet 神经网络将 ILSVRC 分类任务的 Top - 5 error 降低到了 15.3%,而使用传统方法的第二名的 Top - 5 error 高达 26.2%。此网络在 ILSVRC20I2 大赛上的获奖,是目标识别领域的转折点,使得深度学习被大家广泛关注。

2014 年,Girshick 提出了基于卷积神经网络的目标检测模型 R - CNN(Regions with CNN),R - CNN 通过使用卷积神经网络对输入图像中的目标进行特征提取,然后使用传统的分类器对目标特征进行分类识别。2015 年,Girshick 提出的 Fast R - CNN 在 R - CNN 的基础上加入了空间金字塔池化层(spatial pyramid pooling layer, SPP),进一步对网络结构进行了优化,并将候选窗口和特征提取网络、分类器整合到一个回归网络中,检测性能进一步提升。R - CNN、Fast R - CNN 和 Faster R - CNN 等系列算法都是基于区域候选的,提升了检测精度,但是由于这些算法属于两阶段算法(two - stage),检测速度满足不了实时性的要求。

第二类是基于回归的单阶段(one - stage)方法,基于候选窗和深度学习的分类识别方法已经解决了传统算法的局限,但是缺陷也随之而来,使用深层网络所带来的巨大计算量严重影响了检测的速度,同时,候选区域相对传统算法来说,虽然大大减少,但要满足实时要求,还是较多。为解决计算量大的问题,基于深度学习的回归方法,将目标定位与分类问题融合到一个神经网络中处理,舍去候选区域的预先提取,使用回归网络,对目标边框的坐标及类别进行预测,一步到位完成检测,在保证检测精度的基础上实现了检测的实时性,满足无人机高空实时探测识别的要求。如图 4 - 7 所示,典型的基于深度学习的回归方法的主要算法有:YOLO(you only look once)、YOLO v2、YOLO v3、SSD(single shotmultibox detector)等。

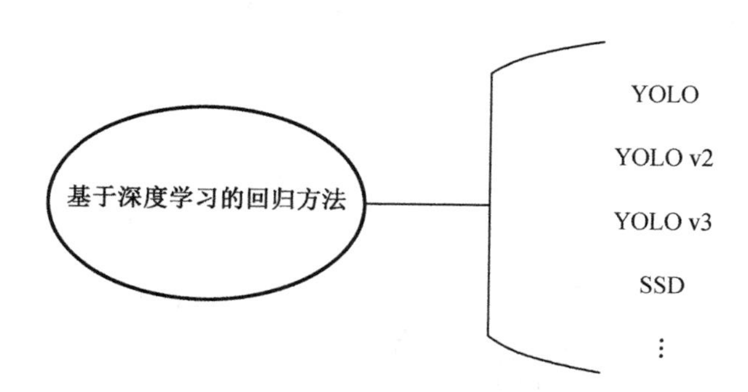

图 4 - 7 基于深度学习的回归方法的主要算法

如图 4 - 8 所示为深度学习主流目标识别算法诞生线。

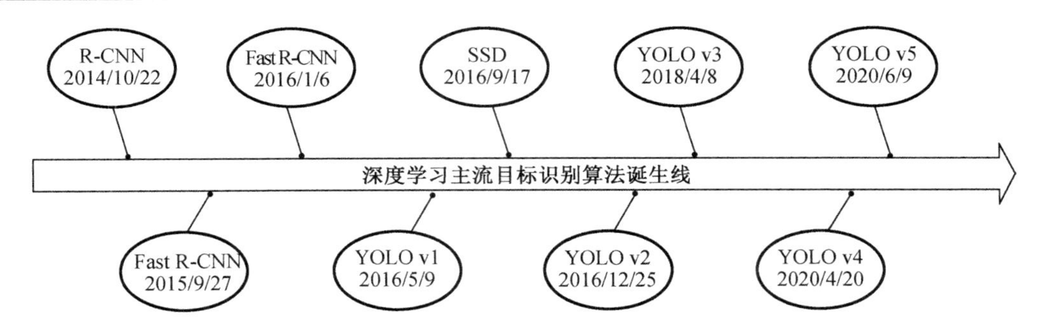

图 4－8　深度学习主流目标识别算法诞生线

经过对传统识别算法、基于候选窗和深度学习分类的方法、基于深度学习的回归方法的对比分析，可以得出，针对无人机机载目标的探测与识别技术要求，基于深度学习的回归方法，可以满足无人机高空实时性检测的要求，又能够满足高空复杂环境下对目标探测与识别的准确性要求，能够满足任务需求。无人机机载目标探测与识别算法理论分析如表 4－1所示。

表 4－1　无人机机载目标探测与识别算法理论分析

	算法名称	优点	缺点
基于传统特征的目标探测与识别算法	Haar + cascade	1. 方法直观简单； 2. 检测时间较快，可以达到实时性	1. 检出率较低； 2. 误检率较高； 3. 泛化能力差
	HOG + SVM	1. 检出率较高； 2. 识别的准确性较好； 3. 能较好地捕捉局部形状信息，对几何和光学变化都有很好的不变性	1. 基于滑动窗口区域，没有针对性、耗时长、实时性差； 2. 目标存在遮挡时，难以进行准确识别； 3. 不具有尺度不变性； 4. 高空中对小目标的识别准确性很差
基于深度学习的目标探测与识别算法	基于候选窗和深度学习分类的方法	1. 网络层数深、准确度高； 2. 相对传统目标识别算法，候选区域代替滑动框，速度有了提高	1. 基于候选区域的策略相较于传统算法，检测区域大大减少，但检测区域还是较多，影响检测速度； 2. 使用深层的网络所带来的巨大计算量严重影响了检测的速度
	基于深度学习的回归方法	1. 准确度较高； 2. 速度快，实时性好	在干扰大、环境复杂的情况下目标识别效果不理想

4.2 深度学习与神经网络

深度学习是机器学习领域中一个新的研究方向,通过学习样本数据的内在规律和表示层次,最终使机器能够和人类一样具有分析学习的能力。深度学习解决了很多复杂的模式识别难题,尤其在语音和图像识别方面得到很大的提升,同时,在搜索技术、数据挖掘、机器翻译、多媒体学习、推荐和个性化技术等领域应用广泛,使得人工智能技术得到更快的发展。

人工神经网络是一种模仿动物神经网络行为特征、进行分布式并行信息处理的算法模型,简称神经网络。其依靠系统的复杂程度,通过调整内部大量节点之间相互连接的关系,达到处理信息的目的。卷积神经网络是一类包含卷积计算且具有深度结构的前馈神经网络,具有表征学习的能力,常用于深度学习中的数据特征提取,是深度学习的代表算法之一。如图 4-9 所示,神经网络一般由输入层→隐藏层→输出层组成。通常来说,隐藏层大于 2 的神经网络就叫作深度神经网络。深层网络的表达能力更强,可以获取目标更多的特征,从而可以不断提高识别准确性,但加深网络层数的同时,会增加计算量,所以需要在计算量与准确性之间寻找平衡点。

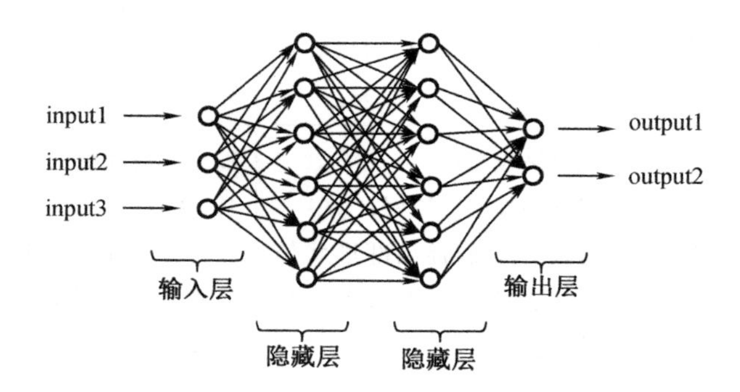

图 4-9 神经网络基本组成

4.2.1 卷积神经网络基本组成

卷积神经网络是一类包含卷积计算、多隐藏层的神经网络,最早由 LeCun 等提出了 LeNet5 的卷积神经网络模型。典型的卷积神经网络由输入层(input)、卷积层(convolutions)、池化层(polling)、全连接层(full connection)、输出层(output)、激活函数(activation-functions)组成。LeNet-5 与其他卷积神经网络的数据处理流程相似,如图 4-10 所示,具体的处理流程为:将一张大小为 32×32 的图片输入,经过 5×5 卷积核的卷积操作,然后将计算得到的 28×28 特征图输入到下一层(池化层)进行下采样,得到 14×14 的图片,然后再进行卷积和池化,最终得到 5×5 的图片。接着依次通过有 120,84,10 个神经元的全连接层对卷积特征进行整合,最后使用 Softmax 逻辑回归进行分类,得到分类结果。

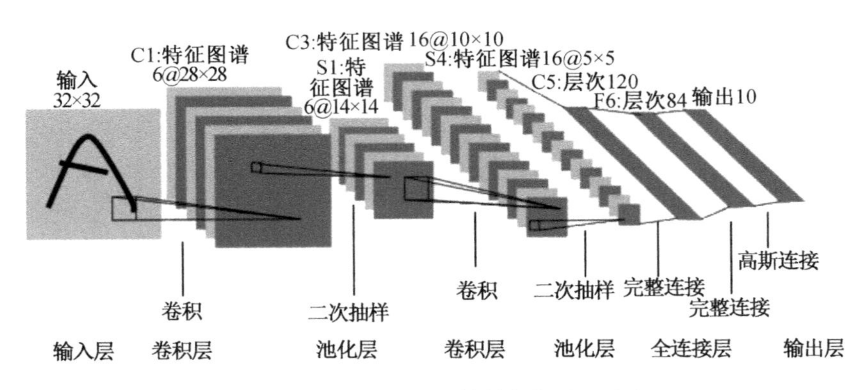

图 4－10　LeNet－5 网络的数据处理流程

4.2.2　卷积层与池化层

1. 卷积层

卷积是深度神经网络中最重要的基本特征计算操作。其主要功能是保证图像的空间连续性，提取输入图像的局部特征。卷积层的参数包括卷积核大小、步长和填充，三者共同决定了卷积层输出特征图的尺寸，是卷积神经网络的超参数。

其中卷积核大小可以指定为小于输入图像尺寸的任意值，卷积核越大，可提取的输入特征越复杂。在工作时，卷积核按照从左到右、从上到下的顺序扫过输入特征，在感受野内对输入特征做矩阵元素乘法求和并叠加偏差量。其中，感受野的定义是卷积神经网络每一层输出的特征图上的像素点在输入图片上映射的区域大小，即特征图上的一个点对应输入图上的区域。

步长决定了扫描过程中每次移动的像素个数，如果步长 stride＝1，那么从左至右、从上至下逐个像素进行移动。在卷积过程中，输入图像为 5×5，经过 3×3 的卷积核和步长为 1 后，输出特征为 3×3，输出的尺寸变小了，而且输入图像四周的元素只被卷积了一次，中间的元素却被利用多次，也就是说，图像四周的信息未被充分提取，这就体现了填充的价值。通过填充（通常情况下在图像周围填充 0）可以保持边界信息并使得输入、输出图像尺寸一致。

卷积层的运算过程如图 4－11 所示，图中为 5×5 的原始图像，按照从左到右、从上到下的顺序，大小为 3×3 卷积核会按照长度为 1 的步长滑动，每前进一次都可以输出卷积核与其对应范围内所有像素值的运算结果，当滑动全部停止的时候，即可得到一张新的特征图。

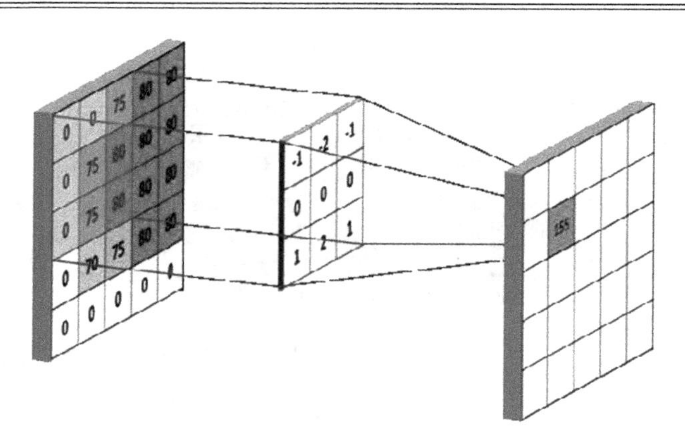

图 4－11　卷积层的运算过程

2. 池化层

池化层通常在连续的卷积层中间，在图像中的相邻像素具有相似的值，因此通常卷积层相邻的输出像素也具有相似的值。这意味着，卷积层输出的大部分信息都是冗余的，而池化层可以解决这一问题，实现压缩数据和参数的量，减小过拟合。同时，高分辨率的图片在输入到神经网络的过程中需要消耗较大的计算资源，引入池化层后，可以降低特征图的尺寸，减少需要训练的参数，降低各层的运算量，从而达到加快训练速度的目的。

池化层通常采用最大池化(max－pooling)、平均池化(mean－ pooling)、加权平均池化等方法对卷积层输出的特征图中临近位置的特征进行聚合，即在区域内通过简单的最大值、最小值或平均值操作完成。

如图 4－12 所示为最大池化层的运算过程示意图，输入图像为 4×4，经过 2×2、步长为 2 的池化后，实现了图像降维，得到 2×2 的特征图。

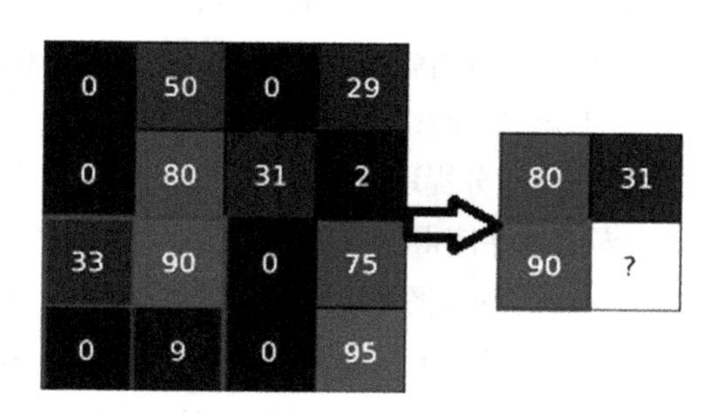

图 4－12　最大池化层的运算过程

4.2.3　激活函数

激活函数(activation functions)是卷积神经网络的重要组成部分，保证了卷积神经网络获得非线性的建模能力，如果不用激活函数的话，无论神经网络有多少层，输出都是输入的线性组合。激活函数的运算一般紧接着卷积层和池化层，具体作用是将激活的神经元学习到的特征保留下来并去掉其中的冗余信息。

激活函数的发展经历了 Sigmoid→Tanh→ReLU→Leaky ReLU→Maxout 的过程，还有一个特殊的激活函数 Softmax，特殊在它只被用在网络中的最后一层，用来进行最后的分类和归一化操作。如图 4-13 所示为常见激活函数。

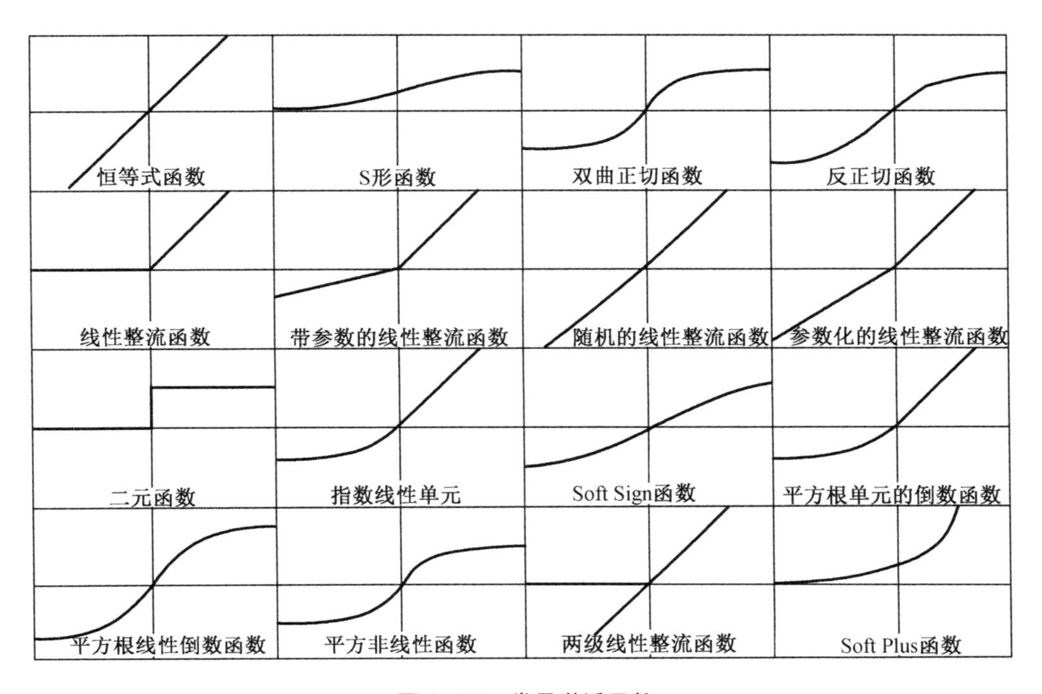

图 4-13　常见激活函数

Sigmoid 函数：

$$f(x)=\sigma=\frac{1}{1+e^{-x}}$$

如图 4-14 所示为 Sigmoid 激活函数曲线，Sigmoid 函数是早期使用较多的激活函数，常被用作神经网络的阈值函数，它输入实数值并将其“挤压”到 0～1 内。由图 4-14 可以明显看出，当输入值的绝对值较大或较小时，Sigmoid 函数的导数趋于 0，即神经元的梯度接近于 0，产生“梯度饱和”现象，致使训练速度异常缓慢甚至难以继续。并且 Sigmoid 函数本身不是关于原点对称的，在反向传播的过程中，权值的梯度会出现全正或全负的现象，使得网络的收敛速度非常缓慢。

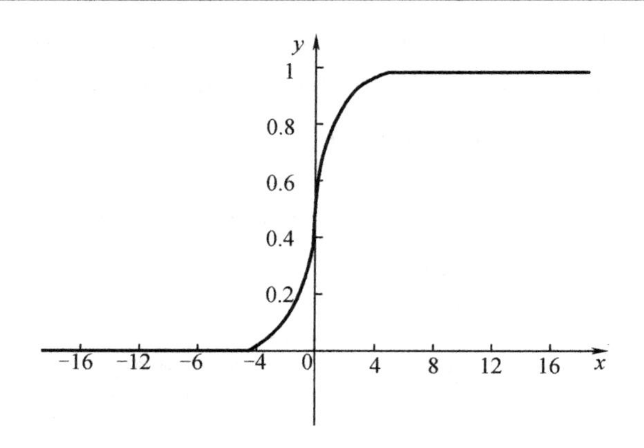

图 4 - 14　Sigmoid 激活函数曲线

ReLU 函数：

$$f(x) = \max(0, x)$$

ReLU 激活函数曲线如图 4 - 15 所示，相较于 Sigmoid 函数，ReLU 对于随机梯度下降的收敛有巨大的加速作用；Sigmoid 在求导时含有指数运算，而 ReLU 求导几乎不存在任何计算量，被用于解决梯度饱和问题。当 $x > 0$ 时，其梯度恒为 1，解决了梯度饱和的问题，网络的收敛速度加快。但是，当 $x < 0$ 时，ReLU 函数的梯度恒为 0，神经元将不再对何数据做出反应，以致训练无法继续。

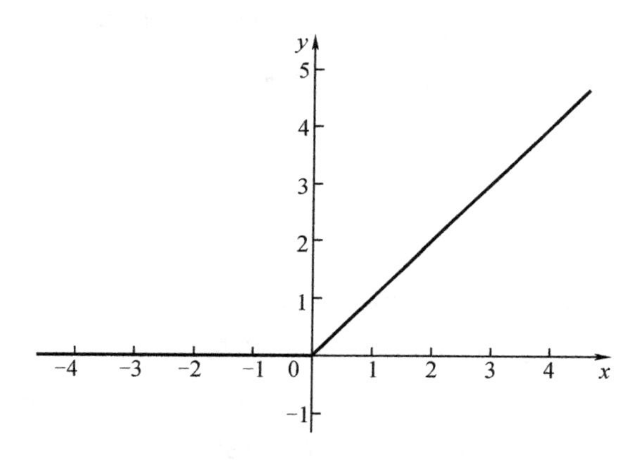

图 4 - 15　ReLU 激活函数曲线

Leaky ReLU 函数：

$$f(y) = \max(\varepsilon y, y)$$

Leaky ReLU 激活函数曲线如图 4 - 16 所示，其中 ε 是很小的负数梯度值，这样做的目的是使负轴信息不会全部丢失，解决了 ReLU 负区间的静默问题。

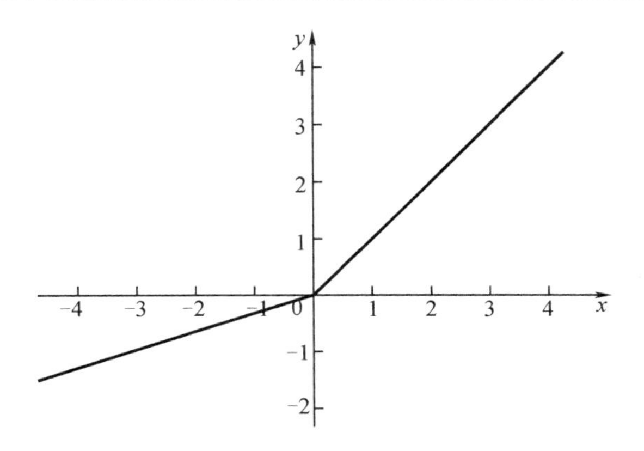

图 4-16　Leaky ReLU 激活函数曲线

4.2.4　全连接层

全连接层就是将最后一层卷积得到的特征图(矩阵)展开成一维向量,并为分类器提供输入。如果说卷积层、池化层和激活函数等操作是将原始数据映射到隐层特征空间的话(特征提取 + 选择的过程),全连接层就起到将学到的特征表示映射到样本的标记空间的作用。换句话说,就是把特征整合到一起(高度提纯特征),方便交给最后的分类器或者回归。但是缺点很明显,即存在参数冗余(仅全连接层参数就可占整个网络参数的 80% 左右),降低了训练的速度,容易过拟合。

4.3　基于候选窗和深度学习分类的方法

4.3.1　Faster R-CNN 网络结构

双阶段经典目标检测 Faster R-CNN 网络结构如图 4-17 所示,Faster R-CNN 包括特征提取网络、RPN 网络、感兴趣区域池化层、坐标回归以及类别分类构成。其中 Faster R-CNN 的主干特征提取网络选择多样,可以使用 VGG、Res Net、MobileNet 等网络对图像特征进行提取。

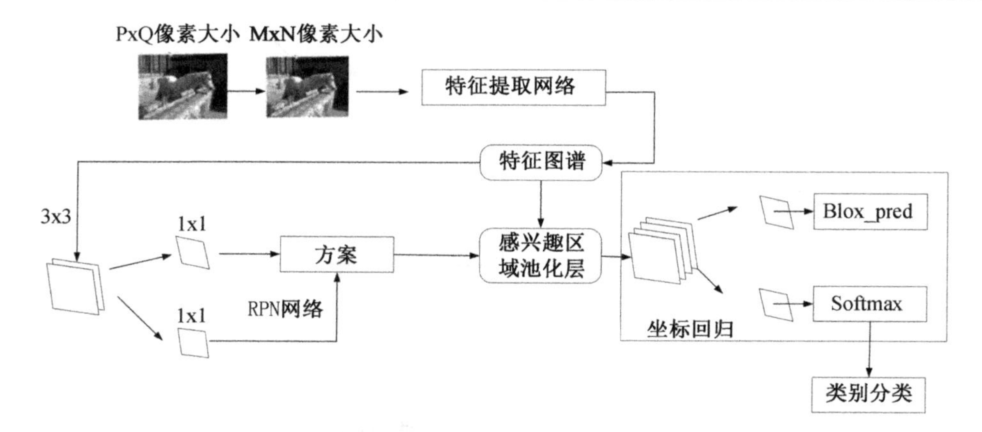

图 4-17　Faster R-CNN 网络结构

4.3.2　边框回归

边框回归是为了对目标进行定位,通过某种映射关系 $f(x)$,使图片输入后得到的预测框尽可能接近真实框。标定框、预测框、预测真实框在图像上的展现如图 4-18 所示。其中黑色 G 表示目标标定框,红色 G′表示通过网络预测得到真实框,黄色 P 表示预测得到建议框(proposal)。标定框、预测框、预测真实框都是使用一个四元组(x,y,w,h)进行表示。边框回归后会使建议框位置尽可能与真实框接近,候选框与真实框关系如式(4-1)所示。

$$f(P_x, P_y, P_w, P_h) \approx (G_x, G_y, G_w, G_h) \tag{4-1}$$

式中　G——目标标定框;

P——预测得到的建议框。

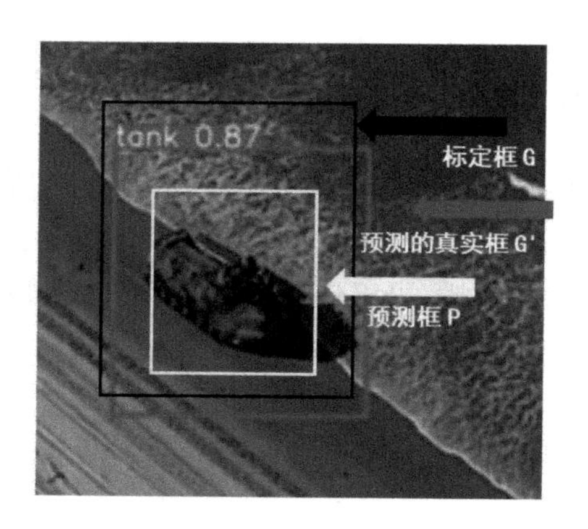

图 4-18　物体边框示意图

4.3.3　RPN 网络

在 Faster R-CNN 中,RPN 网络首次以创新形式出现。RPN 主要作用是生成区域提案,里面设计了 Anchors 分类和边框回归。相较于选择搜索方法,使用 RPN 网络可以大大减少预测图片时间。图4-19展示了RPN网络的具体结构。

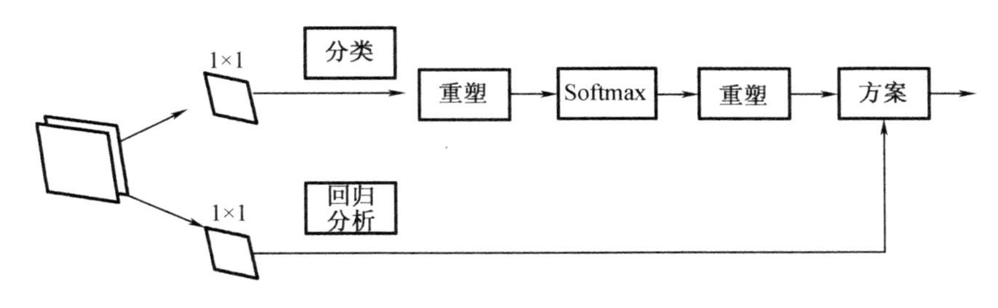

图4-19 RPN网络具体结构

双阶段算法从其流程来看,需要先生成Proposal,然后进行细粒度的物体检测。无论是R-CNN还是Fast R-CNN都基于选择性搜索来找到区域提议,这样难免暴露出其不足之处。

(1)多阶段训练过程,各阶段相对独立,卷积重复率高,训练烦琐复杂,极大地影响了整体的系统性能。

(2)图像易失真。候选区域需要缩放到固定大小,会导致视觉上看到不期望看到的几何形变,图像质量明显下降。

(3)计算开销大,处理速度慢,尤其对于高密度的图片,使用选择搜索找到的位置都要进行卷积计算。

从表4-2中可以看出R-CNN系列算法提高了处理速度,识别结果的精确率和置信度也有保证,从实际情况来看,军用无人机要在人机交互能力较弱的作战环境下完成上级下达的使命任务,就需要拥有对战场场景解读和处理的能力,对于战场场景的理解力的提升必然要基于目标检测,但是对于作战无人机实时识别能力好、小目标检测准确性要求高的设备来说,双阶段系列的目标检测算法依然无法满足其需求。

表4-2 双阶段目标检测算法总结

算法	骨干网络	mAP/%	缺点
R-CNN	AlexNet	58.5	训练复杂,耗时,图像易失真,检测速度慢,实时性不好
SPP-Net	ZF-5	59.2	步骤繁杂,占用空间大,实时性不好
Fast R-CNN	VGG-16	68.0	基于CPU运行,极大限制检测速度,无法实现实时检测
Faster R-CNN	ResNet-101	78.0	对于机载条件下小目标的检测效果不佳

4.3.4 SSD算法网络结构

SSD是基于深度学习的回归方法的一种典型目标检测算法,通过划分不同的网格,完成目标检测。SSD没有使用全连接层,而是通过卷积完成预测,并且将背景作为一类目标放入模型中,方便最终输出预测结果。其中,VGG16是一个经典的神经网络模型,由13层卷积和 3 层全连接层组成。VGG16 的神经网络模型如图 4 –20 所示。

ConvNet Configuration					
A	A-LRN	B	C	D	E
11 weight layers	11 weight layers	13 weight layers	16 weight layers	16 weight layers	19 weight layers
input (224 × 224 RGB image)					
conv3-64	conv3-64 **LRN**	conv3-64 **conv3-64**	conv3-64 conv3-64	conv3-64 conv3-64	conv3-64 conv3-64
maxpool					
conv3-128	conv3-128	conv3-128 **conv3-128**	conv3-128 conv3-128	conv3-128 conv3-128	conv3-128 conv3-128
maxpool					
conv3-256 conv3-256	conv3-256 conv3-256	conv3-256 conv3-256	conv3-256 conv3-256 **conv1-256**	conv3-256 conv3-256 **conv3-256**	conv3-256 conv3-256 conv3-256 **conv3-256**
maxpool					
conv3-512 conv3-512	conv3-512 conv3-512	conv3-512 conv3-512	conv3-512 conv3-512 **conv1-512**	conv3-512 conv3-512 **conv3-512**	conv3-512 conv3-512 conv3-512 **conv3-512**
maxpool					
conv3-512 conv3-512	conv3-512 conv3-512	conv3-512 conv3-512	conv3-512 conv3-512 **conv1-512**	conv3-512 conv3-512 **conv3-512**	conv3-512 conv3-512 conv3-512 **conv3-512**
maxpool					
FC-4096					
FC-4096					
FC-1000					
Soft max					

图 4 –20　VGG16 的神经网络模型

SSD 算法是在 VGG16 模型的基础上,保留 VGG 的 13 层卷积,将 VGG 的全连接层的前两层转换成卷积层,并去掉 Dropout 层和第三层 FC8 全连接层,同时增添两层新的卷积。在卷积 4_3、卷积 7、卷积 8_2、卷积 9_2、卷积 10_2、卷积 11_2 实现多尺度特征图的提取,有效增强 SSD 算法对小目标的识别效果。SSD 算法网络结构如图 4 –21 所示。

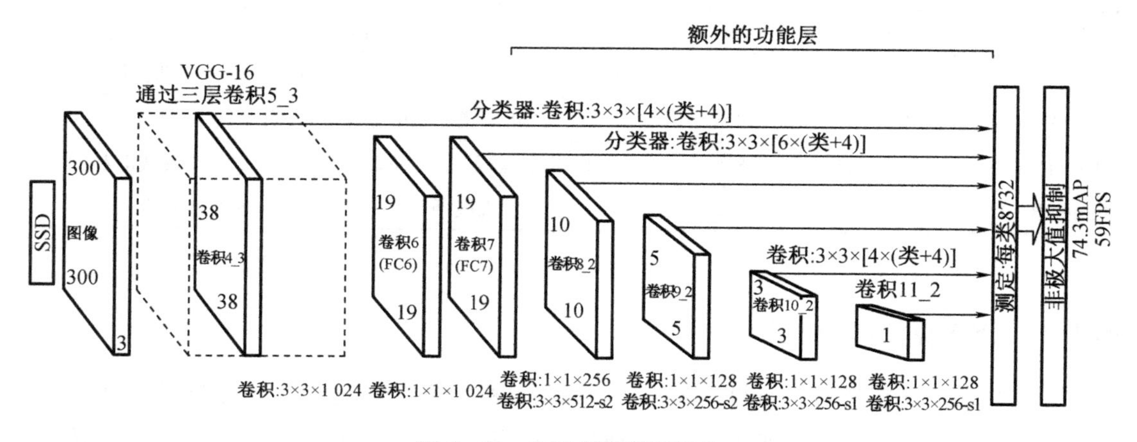

图 4 –21　SSD 算法网络结构

SSD 算法的关键策略具体描述如下。

1. 多尺度预测

SSD 输入图像尺寸为 300×300,从卷积 4_3 和 FC7 分别提取出 38×38 和 19×19 的特征图,并通过卷积层得到 10×10、5×5、3×3、1×1 的特征图,完成目标特征提取。其中 38×38、19×19 的特征图用来预测小物体,1×1、3×3 的特征图用来预测大物体,10×10、5×5的特征图用来预测中等物体。由于 38×38 的特征图处于网络结构的浅层,为防止与后面的深层网络差异性过大,故紧跟归一化操作,以增强对小目标的检测。

2. 设置先验框

SSD 在每个尺度的特征图下生成先验框,分别进行预测。38×38、3×3、1×1 的特征图中的每个网格会生成 4 个先验框,19×19、10×10、5×5 的特征图中的每个网格会生成 6 个先验框,一张图像的预测会生成 8 732 个先验框。对先验框进行调整,并通过非极大值抑制,得到最终目标框,完成目标检测过程。

3. 正负样本设定

在训练时,将每个先验框与真实目标进行对比,找到每个真实目标所对应的最大 IOU 的先验框,保证真实目标可以得到匹配。由于正样本的数量远远小于负样本的数量,为保证正负样本尽量平衡,SSD 对剩余的先验框进行判断,当先验框的 IOU 大于设定的阈值时,也会与真实目标进行匹配,也就是说一个真实目标可以对应多个先验框。同时,为平衡正负样本不均衡的情况,对所有负样本进行抽样,并按照置信度误差进行降序排列,选取误差较大的作为训练的负样本,以保证正负样本比例接近 1:3,得到更好的训练效果。

4. 损失函数

损失函数为位置误差(localization loss,loc)与置信度误差(confidence loss,conf)的加权和,包括用于回归的 Smooth_L1 和用于分类的 Log_loss,将位置定位的准确度值和得分置信度融合起来,具体如下:

$$L(x,c,l,g)=\frac{1}{N}[L_{\mathrm{conf}}(x,c)+\alpha L_{\mathrm{loc}}(x,l,g)] \tag{4-2}$$

式中,$L_{\mathrm{loc}}(x,l,g)$ 为位置损失;$L_{\mathrm{conf}}(x,c)$ 为置信度损失。

位置损失的详细公式如下:

$$L_{\mathrm{loc}}(x,l,g)=\sum_{i\in \mathrm{Pos}\ m\in\{cx,cy,w,h\}}^{N} x_{ij}^{k} smooth_{L1}(l_i^m-\hat{g}_j^m) \tag{4-3}$$

置信度损失的详细公式如下:

$$L_{\mathrm{conf}}(x,c)=-\sum_{i\in \mathrm{Pos}}^{N} x_{ij}^{p}\log(\hat{c}_i^p)-\sum_{i\in \mathrm{Neg}} x_{ij}^{p}\log(\hat{c}_i^0),\text{其 } \hat{c}_i^0=\frac{\exp(\,)}{\sum_{p}\exp(c_i^p)}$$

4.4　基于回归的单阶段方法

单阶段目标检测算法没有进行候选框的分类与回归,R-CNN 一直采用的思路是通过建议框提供坐标信息,通过分类提取类别信息对图像中的目标进行检测。该算法精度高,处理时间长，无法进行实时目标检测。如图4－22所示为单阶段目标检测算法流程图，单阶段目标检测算法仅包含一次目标识别步骤，减少了结构冗余，处理效率高，可进行端到端的数据集训练，YOLO系列是其典型代表算法，实时目标的识别效果较好。

图4－22　单阶段目标检测算法流程图

4.4.1　YOLO算法整体思路

YOLO的核心思想是利用整张图片作为网络的输入，直接在输出层回归预测框（bounding box）的位置及其所属类别。YOLOv1的实现方法：将一幅图像分成 $S \times S$ 个网格，如果某个目标的中心落在这个网格中，则这个网格就负责预测这个目标。每个网格要预测 B 个边界框，每个边界框除了要回归自身的位置外，还要预测一个置信度。这个置信度代表了所预测的边界框中含有目标的置信度和这个边界框预测的准确度这两种信息，置信度的计算公式为

$$\text{Confidence} = \Pr(\text{Object}) \times \text{IOU}_{\text{pred}}^{\text{truth}} \tag{4-4}$$

式中　Confidence——置信度；

Pr(object)——预测框内含有目标的概率，如果有目标落在一个网格中，Pr(object)取值为1，否则为0；

$\text{IOU}_{\text{pred}}^{\text{truth}}$——预测框与实际边界框之间的交并比。

每个预测框要预测(x, y, w, h)和置信度共五个值，其中(x, y)是预测框的中心点坐标，w 和 h 是预测框的宽与高。每个网格还要预测一个类别信息，记为C类。则 $S \times S$ 个网格，每个网格要预测 B 个边界框和 C 个类别，输出就是 $S \times S \times (5 \times B + C)$ 的一个张量。其中，类别是针对每个网格的，置信度是针对每个预测框的。

在测试的时候，每个网格预测的类别信息和预测框预测的置信度信息相乘，就得到了每个预测框的特定类别的置信度分数（class－specific confidence score），计算公式如下：

$$\Pr(\text{Class}_i | \text{Object}) \times \Pr(\text{Object}) * \text{IOU}_{\text{pred}}^{\text{truth}} = \Pr(\text{Class}_i) * \text{IOU}_{\text{pred}}^{\text{truth}} \tag{4-5}$$

式中　$\Pr(\text{Class}_i | \text{Object})$——每个网格预测的类别信息；

$\Pr(\text{Class}_i)$——每个类别的概率信息。

这个乘积编码了预测的框是属于某一类的概率，也包含预测框准确度的信息。得到每个预测框的特定类别的置信度分数后，设置阈值，过滤掉得分低的预测框，然后对保留的框进行非极大值抑制处理，就得到最终的检测结果。

YOLOv2在YOLOv1的基础上增加了批量归一化（batch normalization，BN），解决了反向传播过程中的梯度消失和梯度爆炸问题，增加了正则化效果，提高了网络收敛性；使用高分辨率图像微调分类模型，缓解了输入图像分辨率突然切换造成的影响；采用先验框（anchor boxes)，使网络学习起来更容易；聚类提取先验框，对训练集中标注的边框进行聚类分析，寻找尽可能匹配样本的边框尺寸，提高了 IOU；约束预测边框的位置，使网络更容易学习、更稳定；增加了 passthrough 层检测细粒度特征，使输出的特征图保留更细节的信息，可以更好地检测一些比较小的对象；多尺度图像训练，使得网络在不同的输入尺寸上都能达到一个很好的预测效果，同一网络能在不同分辨率上进行检测，提高了鲁棒性。

4.4.2　YOLOv3 算法

YOLOv3 算法继承了 YOLOv1 和 YOLOv2 算法处理速度快、识别精度高、普适性强等优点，进一步提高了算法的检测性能。YOLOv3 将损失函数由 YOLOv2 的 softmaxloss 替换为 logisticloss，提高了对较大预测框的位置敏感度，降低了对较小预测框的位置敏感度，增加了锚点数量，提高了 IOU，使得识别准确率提升。

1. 网络结构

YOLOv3 对 Darknet－53 网络进行了重构，相比于 ResNet－101，Darknet－53 在分类精度基本一致的基础上，减小了网络模型，使得网络处理时间降低。YOLOv3 算法的网络结构如图 4－23 所示。

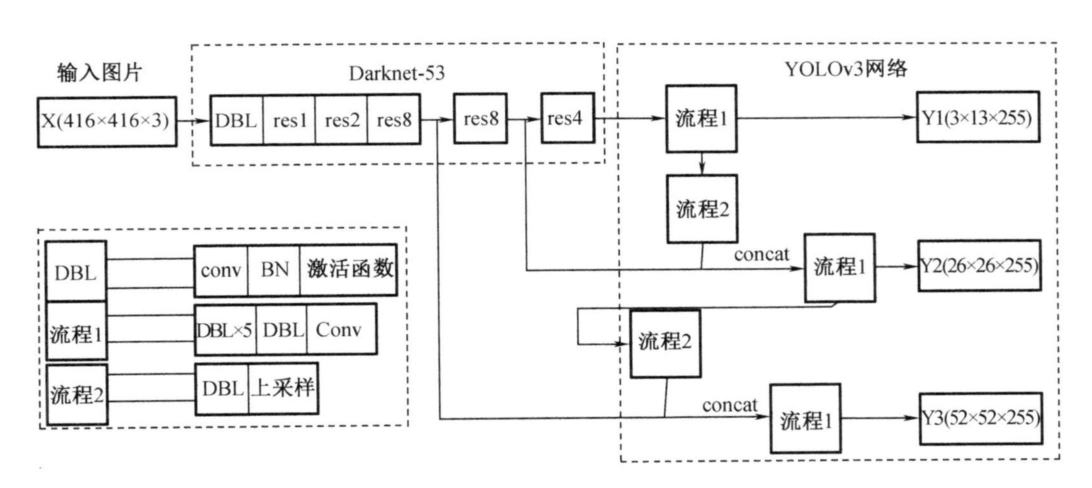

图 4－23　YOLOv3 算法的网络结构图

将图像统一为 416×416 大小，输入到主干特征提取网络 Darknet－53 中，通过 1 次卷积模块和 5 次残差模块对图像中的特征进行提取，将提取的特征图输入 YOLOv3 网络中，输出维度为 13×13×255 的特征图 Y1，用于大尺度军用目标的检测。然后将 13×13×255 的特征图 Y1 进行上采样，与 Darknet－53 中间层的输出结果进行连接，生成维度为 26×26×255 的特征图 Y2，用于中等尺度军用目标的检测。重复上采样操作，与 Darknet－53 中间层的输出结果进行连接，生成维度为 52×52×255 的特征图 Y3，用于小尺度军用目标的检测。

2. 多尺度目标特征检测

在 YOLOv3 中，针对不同大小的目标设计不同尺度特征检测框。YOLOv3 多尺度目标特征检测如图 4－24 所示，采用 Darknet－53 网络进行多尺度特征融合提取，分别提取 52×

52、26×26、13×13 大小的特征图作为多尺度的特征层。对于这三个特征层，需要先进行卷积操作，处理完成后，13×13 大小的特征层直接输出预测值的大小，它的感受野最大，适合检测大尺度物体。对 13×13 特征层继续进行上采样，与 26×26 的特征层进行融合并进行卷积操作，得到 26×26 大小的特征层输出，该特征层适合检测一般尺度物体。再对 26×26 特征层进行上采样，与 52×52 的特征层进行融合并进行 5 次卷积操作，便会得到最后一个 52×52 特征层的输出，该特征层感受野最小，适合检测小尺度物体。

3. 损失函数

YOLOv3 的损失函数主要分为中心坐标、检测框宽高坐标、目标置信度以及目标分类 4 项误差损失。YOLOv3 多尺度目标特征检测如图 4-24 所示。YOLOv3 会将网格分成 $S \times S$ 个网格，每个网络会有 B 个先验框，每个先验框会通过网络得到最终的边框，所以会产生 $S \times S \times B$ 个边框。边框的损失函数是由中心坐标损失和宽高值损失组成的。其中坐标中心损失函数如下：

$$\text{Loss} = \lambda_{\text{coord}} \sum_{i=0}^{s^2} \sum_{j=0}^{B} I_{ij}^{\text{obj}} [(x_i^j - \bar{x}_i^j)^2 + (y_i^j - \bar{y}_i^j)^2] \tag{4-6}$$

式中 I_{ij}^{obj}——当前第 i 个网格里第 j 个先验框是否有物体，当有物体时 $I_{ij}^{\text{obj}}=1$，否则 $I_{ij}^{\text{obj}}=0$；

(x_i^j, y_i^j)、$(\bar{x}_i^j, \bar{y}_i^j)$——通过 YOLOv3 得到的中心坐标和原始的真实中心坐标。

作为 boundingbox 损失函数的另一部分，宽高损失函数如下：

$$\text{Loss}_{\text{宽高}} = \lambda_{\text{coord}} \sum_{i=0}^{s^2} \sum_{j=0}^{B} I_{ij}^{\text{obj}} [(w_i^j - \bar{w}_i^j)^2 + (h_i^j - \bar{h}_i^j)^2] \tag{4-7}$$

式中 w_i^j、h_i^j——当前检测的第 i 个网格里第 j 个先验框的宽和高；

$\bar{w}_i^j$、$\bar{h}_i^j$——原始的第 i 个网格里第 j 个先验框的宽和高。

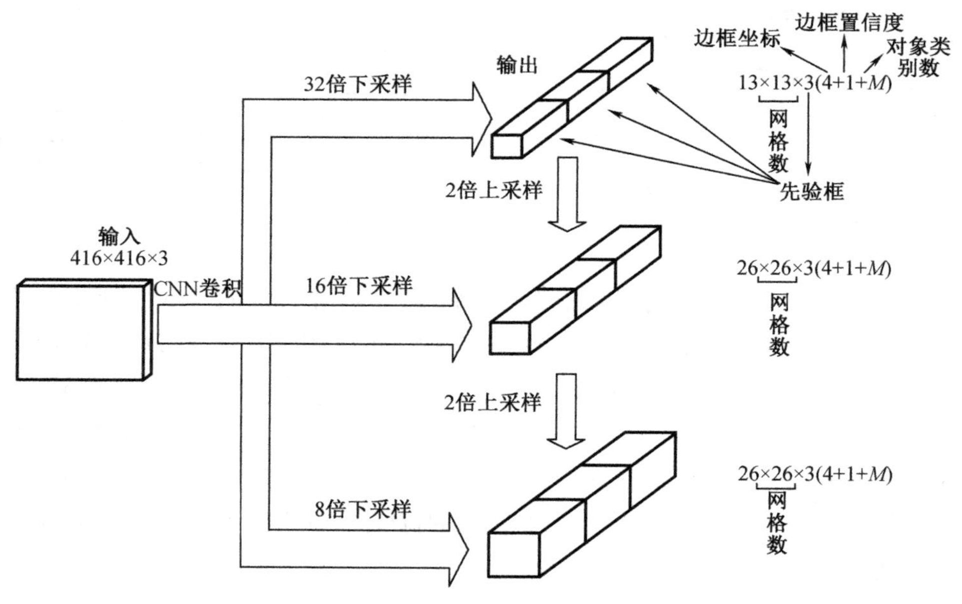

图 4-24 YOLOv3 多尺度目标特征检测

YOLOv3 的置信度损失函数如式(4－8)所示,置信度损失函数包含存在对象的边界框的置信度损失函数和不存在对象的边界框置信度损失函数。

$$\begin{aligned} \text{Loss}_{\text{置信度}} = & -\sum_{i=0}^{s^2}\sum_{j=0}^{B} I_{ij}^{\text{obj}}\left[\bar{C}_i^j \log(\bar{C}_i^j) + (1-\bar{C}_i^j)\log(1-\bar{C}_i^j)\right] - \\ & \lambda_{\text{noobj}}\sum_{i=0}^{s^2}\sum_{j=0}^{B} I_{ij}^{\text{noobj}}\left[\bar{C}_i^j \log(\bar{C}_i^j) + (1-\bar{C}_i^j)\log(1-\bar{C}_i^j)\right] \end{aligned} \tag{4-8}$$

式中　I_{ij}^{obj}——表示当前第 i 个网格里第 j 个先验框是否有物体,有物体时,$I_{ij}^{\text{obj}}=1$,否则 $I_{ij}^{\text{obj}}=0$;

I_{ij}^{noobj}——用来标记边界框里是不是不存在物体,当不存在物体时,I_{ij}^{noobj},否则 $I_{ij}^{\text{noobj}}=0$;

$\bar{C}_i^j$——预测得到的真实的置信度。

YOLOv3 的分类函数使用了式(4－9)所示的交叉熵损失函数,当一个边界框检测到内部有物体时,才会继续计算分类损失函数。

$$\text{Loss}_{\text{分类}} = -\sum_{i=0}^{s^2} I_{ij}^{\text{obj}} \times \sum_{c\in\text{classes}}\left(\left[\bar{P}_i^j\log(\bar{P}_i^j) + (1-\bar{P}_i^j)\log(1-\bar{P}_i^j)\right]\right) \tag{4-9}$$

综上所述,YOLOv3 的损失函数为

$$\begin{aligned} \text{Loss} = & \lambda_{\text{coord}}\sum_{i=0}^{s^2}\sum_{j=0}^{B} I_{ij}^{\text{obj}}\left[(x_i^j-\bar{x}_i^j)^2 + (y_i^j-\bar{y}_i^j)^2\right] + \\ & \lambda_{\text{coord}}\sum_{i=0}^{s^2}\sum_{j=0}^{B} I_{ij}^{\text{obj}}\left[\left(\sqrt{w_i^j}-\sqrt{\bar{w}_i^j}\right)^2 + \left(\sqrt{h_i^j}-\sqrt{\bar{h}_i^j}\right)^2\right] - \\ & \sum_{i=0}^{s^2}\sum_{j=0}^{B} I_{ij}^{\text{obj}}\left[\bar{C}_i^j\log(\bar{C}_i^j) + (1-\bar{C}_i^j)\log(1-\bar{C}_i^j)\right] - \\ & \lambda_{\text{noobj}}\sum_{i=0}^{s^2}\sum_{j=0}^{B} I_{ij}^{\text{obj}}\left[\bar{C}_i^j\log(\bar{C}_i^j) + (1-\bar{C}_i^j)\log(1-\bar{C}_i^j)\right] - \\ & \sum_{i=0}^{s^2} I_{ij}^{obj}\sum_{c\in\text{classes}}\left[\bar{P}_i^j\log(\bar{P}_i^j) + (1-\bar{P}_i^j)\log(1-\bar{P}_i^j)\right] \end{aligned} \tag{4-10}$$

4.4.3　YOLOv5 算法

YOLOv5 算法是继 YOLOv4 算法之后的新版本。YOLOv5 在 YOLOv4 的主干网络上增加了 Focus,使用一种新的主干网络 Focus + CSP 结构,提升了均值平均精确率和召回率。YOLOv5 在输入端使用 Mosaic 对数据进行增强,提高了训练鲁棒性并且使得每个批次中对数据集提取图片数量要求降低,缓解了 GPU 压力。YOLOv5 算法还使用了自适应锚框(anchor boxes)来对边界框进行预测,并且为每个位置的各个自适应锚框都单独预测一套分类概率值,在之前的 YOLO 系列算法中,对于初始锚框的数值都是由用户运行其他程序获得的,但 YOLOv5 将其应用在算法结构中,每次进行训练,自适应运算出最佳数值。使用自适应锚框之后,YOLOv5 的召回率相比 YOLOv4 增加了 5.6%。

YOLOv5 算法共有 4 种网络结构,分别是 YOLOv5s、YOLOv5m、YOLOv5l 和 YOLOv5x,这四种网络结构在宽度和深度上不同,但原理基本一样,图 4－25 为 YOLOv5 四种模型的性能对比图,从图中我们可以看出:YOLOv5s 网络最小,速度最低,AP 精度也最低。但对于检测大型目标来说,其检测精度跟其他三种比起来稍差一点,检测速度则是比较快的。其他三种网络在此基础上，不断加深加宽，AP 精度也不断提升，但速度的消耗也在不断增加。

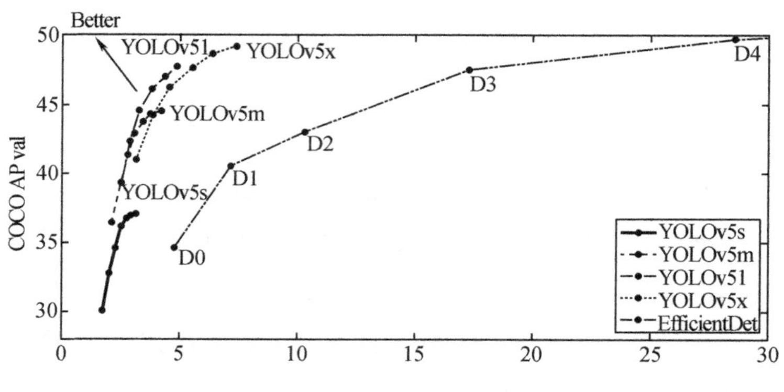

图 4－25　YOLOv5 四种模型的性能比对图

4.5　目标数据集建立

4.5.1　目标数据集收集

为满足战场需要，有针对性地探测、识别敌方目标，并且能够满足高空无人机的侦察要求，本书针对战场中常见的坦克、飞机等目标进行图像收集，首先使用坦克、飞机模型，在室内、室外不同场景下，通过无人机航拍采集图像，录制大量模型视频。如图 4－26 所示为目标数据集收集的部分图片，为保证最终模型的普适性和准确性，还通过网络收集大量实战中坦克、飞机的影像资料，用于目标数据集的搭建。

图 4－26　目标数据集收集的部分图片

(j)

(k)

(l)

图4-26(续)

完成图像采集后,进行后期处理,如图4-27所示,首先对收集的视频进行逐帧截取并保存,获取大量图片后,对图片进行归一化处理,统一尺寸、格式、颜色、深度等,完成目标数据集的收集。

4.5.2 传统算法数据集建立

完成目标数据集的收集后,首先搭建传统算法的数据集。传统目标探测和识别算法的训练数据集由正样本和负样本两部分组成。坦克正样本只需要包含坦克的目标图像,为方便坦克正样本的建立,通过C++编写目标框选的程序。为方便操作,简化流程,程序内使用鼠标左键长按对目标进行框选,抬起左键完成选择。

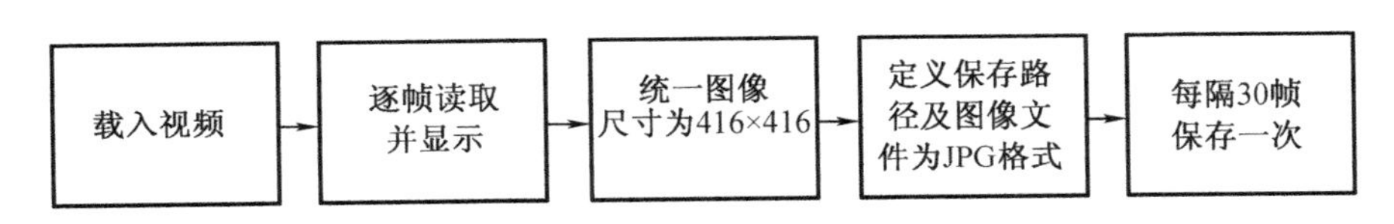

图4-27 目标数据集的收集处理过程

为方便后期训练,框选完成后进行图像归一化处理,统一进行灰度处理,统一尺寸为20×20,并按阿拉伯数字进行保存。

正样本收集流程如图4-28所示。

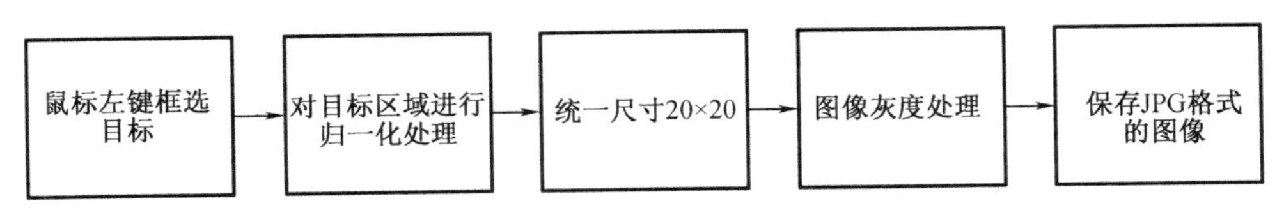

图4-28 正样本收集流程

负样本的收集相对简单,不需要进行灰度处理,也无须统一尺寸,图像中只要不包含坦克目标即可,通过网络收集不同场景的图片,进行格式的统一和重命名,完成负样本的整理,负样本处理结果如图4-29所示。

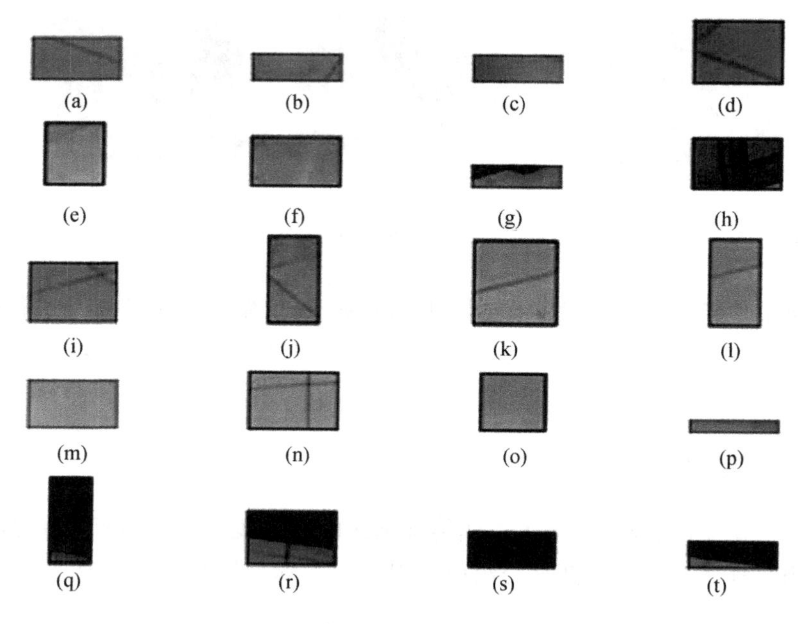

图 4-29　负样本处理结果

运行命令 ls -rt tank_pos > tank_pos. txt 生成包含正样本图像路径的 txt 文本，并在正样本文本内容中图像路径后添加目标位置及目标尺寸，完成正样本 txt 文本的处理；运行命令 ls -rt tank_neg > tank_neg. txt 生成包含负样本图像路径的 txt 文本，完成负样本 txt 文本的处理，正样本和负样本的处理结果分别如图 4-30 和图 4-31 所示。

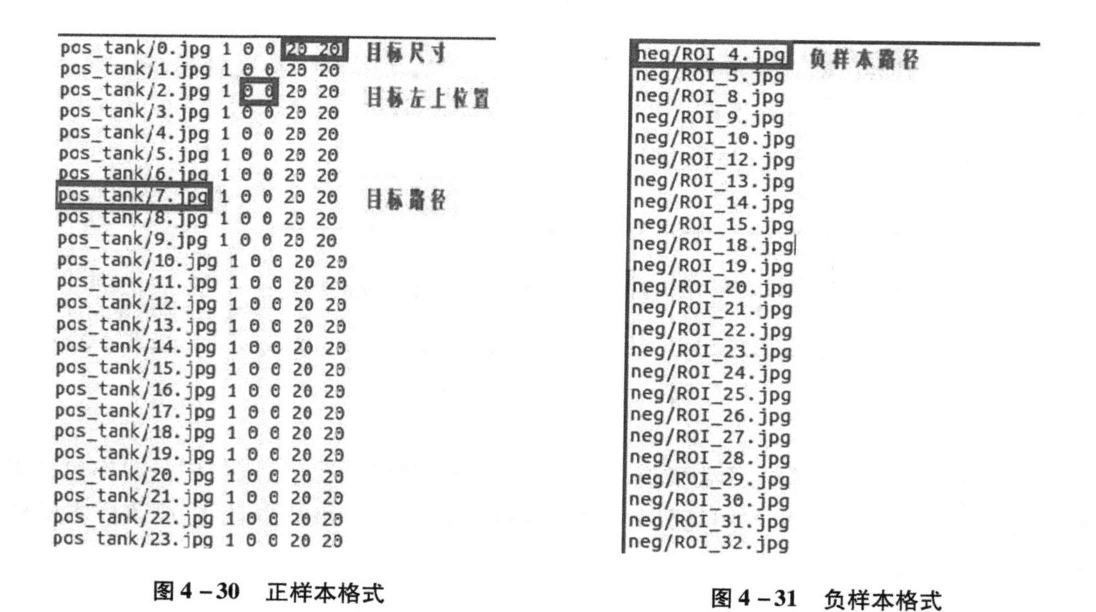

图 4-30　正样本格式

图 4-31　负样本格式

使用 opencv_createsamples，对正样本目标数据集进行数据增强，通过图片扭曲完成多个正样本的创建，可以设置正样本的背景、颜色反转、XYZ 的旋转角度，完成数据集的扩展增强。运行命令，生成用于最终训练的 Vec 文件，完成传统算法目标数据集的建立。运行命令如下：

```
opencv_createsamples -info pos.txt -vec pos/pos.vec -num 10 -w 20 -h 20
```

具体命令设置内容见表 4-3。

表 4-3　具体命令设置表

命令	含义
- Info	设置正样本文件位置
- Vec	设置生成 vec 文件位置
- Num	正样本数量
- BG color	创建样本时样本扭曲函数中用来决定像素是否有效的像素值，灰度值为 0 ~ 255
- BG threshold	决定背景掩码的实际取值范围
- Invert	单张图片生成样本时，是否需要反相或随机反相
- Max intensity deviation	用于生成前景（有效像素区域）灰度值的常数值
- Max x angle	对样本图片的 x 轴方向的扭曲的最大弧度
- Max y angle	对样本图片的 y 轴方向的扭曲的最大弧度
- Max z angle	对样本图片的 z 轴方向的扭曲的最大弧度
- Show samples	是否通过 imshow 显示出每一个生成的样本图片出来
- Width	宽
- Height	高

4.5.3　深度学习算法数据集建立

深度学习目标探测与识别算法数据集的建立，比传统算法数据集的建立更加简单。首先下载安装 LabelImg 软件，通过软件对目标数据集进行逐一标注，使用鼠标对目标进行框选，并保存成 xml 文件。

其中，xml 文件包含了目标图像路径、目标图像尺寸及深度，目标图像中框选的目标尺寸、位置、目标种类等信息。

完成标注后，借助 Voc2007 的结构目录，搭建深度学习算法数据集。结构目录如下：

Annotations 文件夹用于存放标注好的 xml 文件。JPEGImages 文件夹用于存放所有用于训练及测试的图像。ImageSets 文件夹用于存放划分后的训练集、测试集、验证集等 txt 文本。运行 test. py 程序，将 Annotations 文件夹内的 xml 文件读取，按 0.9 训练集、0.1 验证集划分，并将文件名保存到 Imagesets 中对应的 txt 文本中。运行 voc_annonation. py 程序，将 xml 文件转换到 JPG 图片中，对目标位置、类别进行标注，最终得到用于训练的 txt 文本。

4.6 无人机机载目标探测与识别算法仿真实验

4.6.1 目标探测与识别算法环境配置

为探求一种实时性好、鲁棒性高的无人机机载目标探测与识别算法，在理论分析完成后，进行实验验证。首先需要完成整个开发环境的搭建，本书实验硬件见表4－4。

表4－4 实验硬件信息

属性	硬件信息
电脑型号	戴尔笔记本
内存	16 GB
固态硬盘	金士顿450 GB
GPU	NVIDIA GTX－960M
CPU	Intel(R)Core(TM)i7－6700HQ CPU @ 2.60Ghz

实验过程主要软件配置信息见表4－5。

表4－5 实验主要软件信息

属性	版本信息
操作系统	Ubuntu16.04
CUDA	9.0.1
CUDNN	7.0.1
Python	3.5
OpenCV	3.4.1
Keras	2.2.0
Tensorflow	1.16

Python是一种跨平台的计算机程序设计语言，最初被设计用于编写自动化脚本，随着版本的更新优化，凭借其简单易用、便于移植、功能强大等优点，越来越多地用于独立、大型项目的开发，可以通过简单的PIP，轻松安装各种功能的第三方库，容易上手和开发。Python安装库及版本信息如图4－32所示。

Tensorflow是由Google大脑小组开发，采用数据流图、用于数值计算的第三方开源库，主要用于机器学习和深度神经网络方面的研究。其高度的灵活性、可移植性、自动求微分等优点，使其在项目中广泛应用。Tensorflow架构灵活，可以在一个或多个CPU或GPU、服务器、移动设备等平台上展开计算。

```
myz@myz-Inspiron-7559: ~
gps                          3.19
grpcio                       1.27.2
guacamole                    0.9.2
h5py                         2.10.0
html5lib                     0.9999999
httplib2                     0.9.1
hyperlink                    19.0.0
idna                         2.9
imageio                      2.8.0
imgviz                       0.12.2
imutils                      0.5.3
incremental                  17.5.0
interactive-markers          1.11.4
ipython                      5.7.0
ipython-genutils             0.2.0
jedi                         0.16.0
Jinja2                       2.8
joblib                       0.14.1
joint-state-publisher        1.12.15
kazam                        1.4.5
Keras                        2.2.0
Keras-Applications           1.0.2
Keras-Preprocessing          1.0.1
kiwisolver                   1.1.0
labelme                      3.16.2
language-selector            0.1
laser-geometry               1.6.4
louis                        2.6.4
lxml                         4.5.0
Mako                         1.0.3
Markdown                     3.2.1
MarkupSafe                   0.23
```

图 4－32　Python 安装库及版本信息

如图 4－33 所示，Keras 是一个使用 Python 编写的第三方开源库，是 Tensorflow 的高级封装，可以更简单地完成深度学习模型的设计、调试、评估、应用和可视化，支持人工智能领域的主流算法，使用面向对象方法编写结构，将代码完全模块化并具有极大的可扩展性。

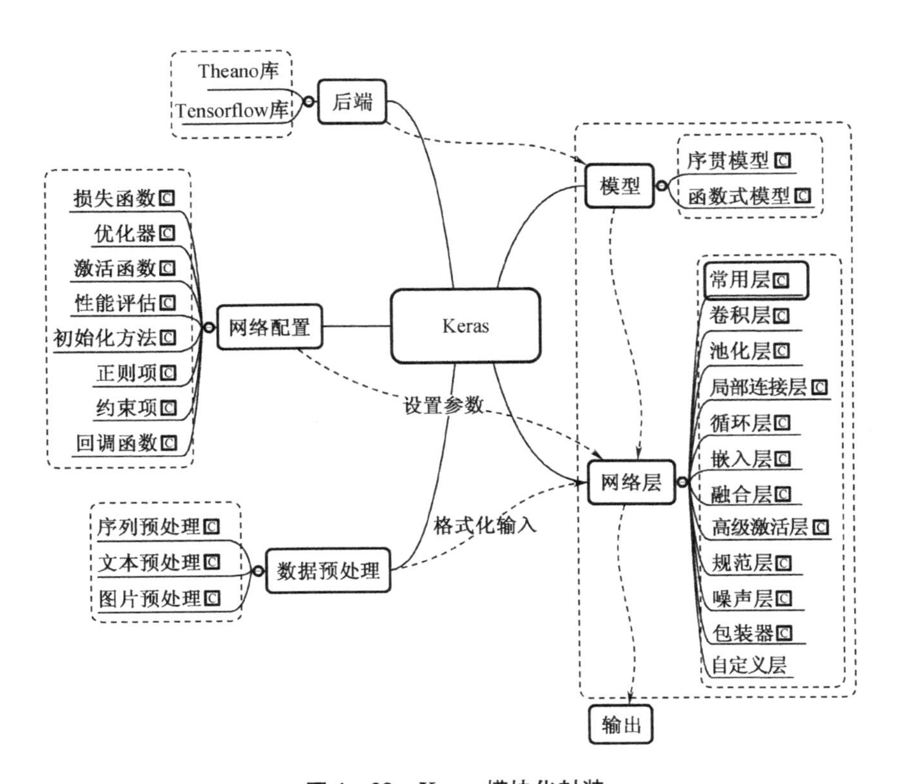

图 4－33　Keras 模块化封装

OpenCV 是一个图像视觉领域常用的集成库，可以在 Windows、Linux 等多种系统下运行，可以使用多种语言进行调用，简单高效，适合开发移植。从图像处理到目标识别，从二维图像到三维建模，从传统算法到深度学习，都可以在 OpenCV 中得到很好的应用。经过不断的更新维护，OpenCV 内容不断丰富，提供的接口更加方便，对深度学习的支持越来越完善，如使用 Tensorflow 对目标模型进行训练，通过 OpenCV 可以进行模型的调用，对采集图像进行处理后，可以很好地完成目标检测任务。

4.6.2 无人机机载目标探测与识别算法仿真探索

为验证传统算法与深度学习算法理论分析得到的结论，首先对传统目标探测与识别算法进行仿真验证，本书基于 Haar 特征训练得到级联分类器，对目标进行探测识别。

基于 Haar 特征的级联分类器训练过程如下：使用 opencv_train - cascade 进行梯度训练，运行命令：

```
opencv_traincascade -data data -vec pos.vec -bg neg.txt -numPos 98 -numNeg 282 -numStage 15 -w 20 -h 20 -minHitRate 0.9999 -maxFalseAlarmRate 0.5 -mode ALL
```

在命令中设置分类器级数、特征类型、最小检测率、最大误检率等参数，完成后进入训练。在训练过程中，浅层分类器训练速度较快，越深层的分类器训练速度越慢，等待训练结束。如图 4 - 34 所示为基于 Haar 特征的级联分类器训练过程示意图。

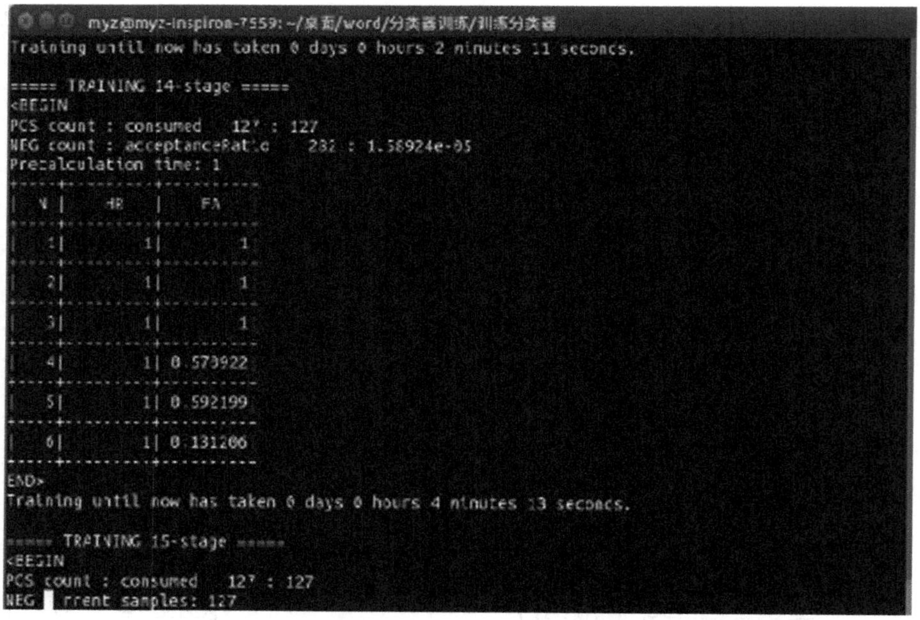

图 4 - 34　基于 Haar 特征的级联分类器训练过程

其中，训练命令的具体设置内容见表 4 - 6。

表 4－6　训练命令的具体设置内容

参数	说明
－data	目录名，如不存在，程序会创建它，存放训练好的分类器
－vec	包含正样本的 vec 文件名，样本数据集已建立
－bg	背景描述文件，包含负样本文件名的那个描述文件
－numPos	每级分类器训练时所用的正样本数目
－numNeg	每级分类器训练时所用的负样本数目
－numStages	训练的分类器的级数
－baseFormatSave	这个参数仅在使用 Haar 特征时有效
－featureType	HAAR－Haar 特征；LBP－局部纹理模式特征
－w－h	训练样本的尺寸
－minHitRate	分类器的每一级希望得到的最小检测率
－maxFalseAlarmRate	分类器的每一级希望得到的最大误检率
－maxWeakCount	每一级中的弱分类器的最大数目
－mode	选择训练过程中使用的 Haar 特征的类型，BASIC 只使用右上特征，ALL 使用所有右上特征和 45°旋转特征

训练完成后，在 data 文件夹下生成训练完成的 cascade 分类器。利用 C＋＋语言，使用训练完成的分类器文件进行结果检测，具体检测流程如图 4－35 所示：首先对检测视频进行读取、分帧，完成灰度处理、直方图均衡化操作，调用训练好的分类器对目标进行检测，输出目标结果，在窗口中展示。

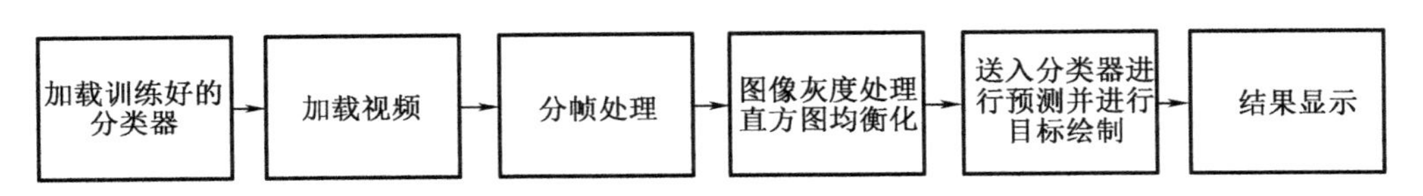

图 4－35　级联分类器检测流程图

基于 Haar 特征的级联分类器最终预测效果和识别效果难以满足作战需要，故使用基于深度学习的 SSD 目标探测识别算法进一步探索尝试。

基于深度学习的 SSD 目标探测识别算法首先对数据集进行了增强，扩展数据集以增加识别检测效果，主要采用的方法见表 4－7。

表 4－7　SSD 图像增强方法

SSD 图像增强方法	1. 随机镜像（水平翻转）
	2. 随机裁剪加颜色扭曲
	3. 随机图像扩充
	4. 色调、饱和度、对比度、亮度、颜色通道变化

SSD 训练采用迁移学习的方法，将预训练 SSD 初始权重网络的后两层进行解冻，设定保存轮数、学习率、训练验证集比例等，进行迭代训练。在训练过程的文件夹中，运行 tensorboard - - logdir = . /，实现训练过程损失可视化，并对训练模型网络结构进行显示。

预测过程比较简单，对于每个预测框，首先根据类别置信度确定其类别（置信度最大者）与置信度值，并过滤掉属于背景的预测框。然后根据置信度阈值（如 0.5）过滤掉阈值较低的预测框。对于留下的预测框进行解码，根据先验框得到其真实的位置参数。根据置信度进行降序排列，然后仅保留 top - k（如 400）个预测框。最后就是进行 NMS 算法，过滤掉那些重叠度较大的预测框，剩余的预测框就是检测结果。

4.6.3 YOLOv3 目标探测与识别算法研究

使用基于 Haar 特征传统算法和基于深度学习的 SSD 算法后，为进一步探索更好的识别算法，课题将 YOLOv3 算法进行改进，结合无人机高空飞行的特点，对 YOLOv3 先验框进行重新聚类。先验框是对目标对象的大小进行 K - Means 聚类，得到最常出现的目标框尺寸。在 YOLOv3 中共设置 9 个先验框，默认先验框尺寸为 10 × 13、16 × 30、33 × 23、30 × 61、62 × 45、59 × 119、116 × 90、156 × 198、373 × 326。在多尺度预测时，13 × 13 尺度使用较大的先验框，适合检测大目标；26 × 26 的尺度使用中等的先验框，适合检测中等的目标；52 × 52 尺度使用较小的先验框，适合检测小目标。进行目标检测时，会根据先验框来锁定目标，大大减少目标检测过程中的时间。本书中，由于无人机拍摄的目标多为方形和比例为 4∶3 的矩形，并且高空检测时，目标较小。故对比分析后，对原有先验框进行重新聚类，得到适合无人机检测的先验框。进行预测前，通过不断调整超参数，以获取最优的预测结果。训练过程中利用已建立好的目标训练数据集，读取处理原始目标数据，进行数据增强。使用到的图像增强方法见表 4 - 8。

表 4 - 8　YOLOv3 的图像增强方法

YOLOv3 的图像增强方法	1. 随机生成宽高比
	2. 随机生成缩放比例
	3. 随机水平位移
	4. 随机翻转
	5. 随机颜色抖动

训练采用迁移学习的方法，将预训练 YOLOv3 模型后两层进行解冻，设定保存轮数、学习率、训练验证集比例等，再进行训练。在训练过程的文件夹中，运行 tensorboard - - logdir = . /。实现训练过程损失可视化，并对训练模型网络结构进行显示。训练完成后，对目标进行检测，检测流程如下。

（1）首先进行参数设定，设置检测的目标模型、先验框、种类的路径，设定检测得分、IOU 参数，设定图像的输入尺寸、GPU 数量等。设定完成后，进行参数初始化，将种类、先验框等参数读入，准备预测。

（2）利用 OpenCV 实时读取图传设备传回的无人机端采集的图像，并将图像分帧处理，送入 detect_image 函数进行目标检测。在 detect_image 函数中，对送入的每帧图像进行归一化处理,根据 YOLOv3 输出特征图的特点,将输入的图像统一成 416 × 416 尺寸,处理完成后,通过 generate 函数进行预测。

(3)在 generate 函数中,首先载入训练好的目标检测模型,根据模型先验框的数量确定神经网络,选择 yolo_model 的网络结构,通过 yolo_eval 函数,完成预测,得到预测框位置及宽高、目标得分、目标种类信息。利用返回的检测结果绘制目标框,得到最终预测结果,并在结果窗口中显示。算法流程图如图 4 – 36 所示。

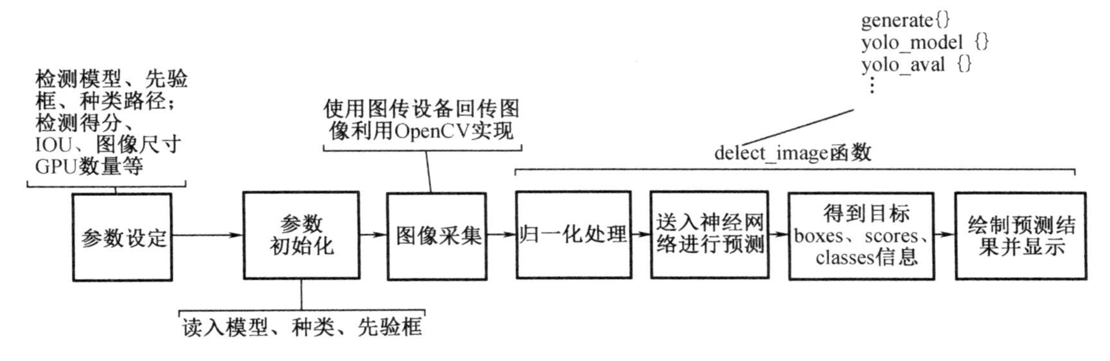

图 4 – 36　算法流程图

针对无人机机载目标探测识别的特点,对于速度要求比较高的情况,使用算力较低的机载电脑时,YOLOv3 难以完成实时检测的要求。为解决这一问题,探索改进了 YOLOv3 – tiny 算法,主干网络采用一个 7 层卷积网络 + 最大池化网络提取特征,输出为两个尺度的特征图,网络简单,计算量较小,可最终满足实时检测的需要。

4.6.4　无人机机载目标探测与识别算法对比分析

无人机机载目标探测与识别算法对比分析如表 4 – 9。

表 4 – 9　无人机载目标探测与识别算法对比

识别算法	级联分类器	YOLOv3	YOLOv3 – tiny	SSD
硬件环境	Ubuntu16.04 系统,内存 16 GB,显卡 GTX – 960M,I7 – 6700HQ			
数据集	飞机正样本 98 张,坦克正样本 127 张,负样本 282 张	训练集 195 张,验证集 21 张,测试集 50 张(每张图含飞机、坦克)		
训练集损失	无	17.194 0	10.940 3	0.783 4
验证集损失	无	18.909 1	12.472 9	1.020 9
迭代轮次	20 层	300	400	400(提前结束)
训练时间	0.53 h	2.60 h	1.44 h	2.64 h

使用 Haar 特征级联分类器目标检测时,在目标较明显的场景下,目标检测的效果较好,但是存在很多问题和缺陷,检测框只能框选出目标的局部,漏检、误检的情况经常出现,在

复杂场景时，难以检测出目标，不能满足实际应用的需求。

使用 SSD 算法时，识别效果较稳定，准确率较高，实时性达到 10 帧左右，但是当目标相互靠得很近时，检测效果不好，并且对高空检测小目标时，检测效果不理想。

使用 YOLOv3 算法时，识别效果很好，准确率较高，尤其对空中飞行时的小目标检测效果较好，误检、漏检的情况很少出现，实时性达到 6 帧，能够满足任务需要。

使用 YOLOv3_tiny 算法时，由于网络层数较浅，目标检测的精度较低，识别率一般，但是实时性很好，能够满足任务实时性要求。

首先需要理解正类（positive）和负类（negative），比如现在要预测用户是否点击了某个广告链接，点击了才是我们要的结果，这时，点击了则表示为正类，没点击则表示为负类。

1. 准确率（accuracy）

在预测结果中，正确预测的数量/样本总数。

2. 精确率（precision）

在预测结果中，正确预测的正类数/预测为正类的数量：TP/（TP + FP）

3. 召回率（recall）

在预测结果中，正确预测的正类数 /原本即为正类的数量：TP/（TP + FN）

为进行模型预测结果的评估，选用多场景下多张目标图片进行测试，使用 python 批量读取测试集图片，送入目标探测与识别算法中进行检测，并将检测结果保存至文件夹中，完成检测后，对不同目标探测识别算法的检测结果进行统计，检测结果如图 4 – 37 ~ 图 4 – 39 所示。

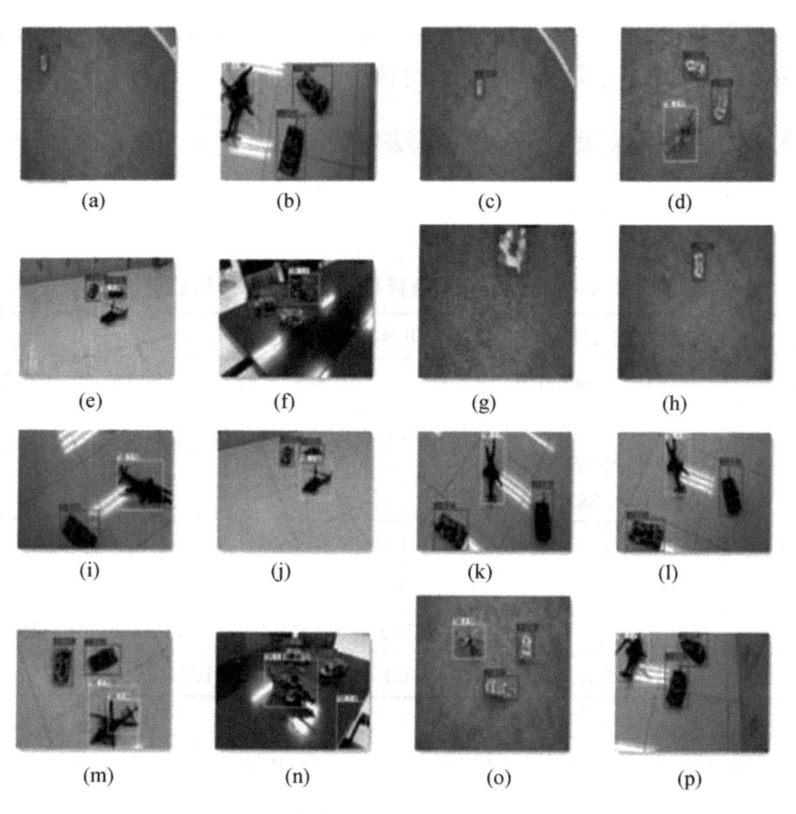

(a) (b) (c) (d) (e) (f) (g) (h) (i) (j) (k) (l) (m) (n) (o) (p)

图 4 – 37　SSD 识别结果

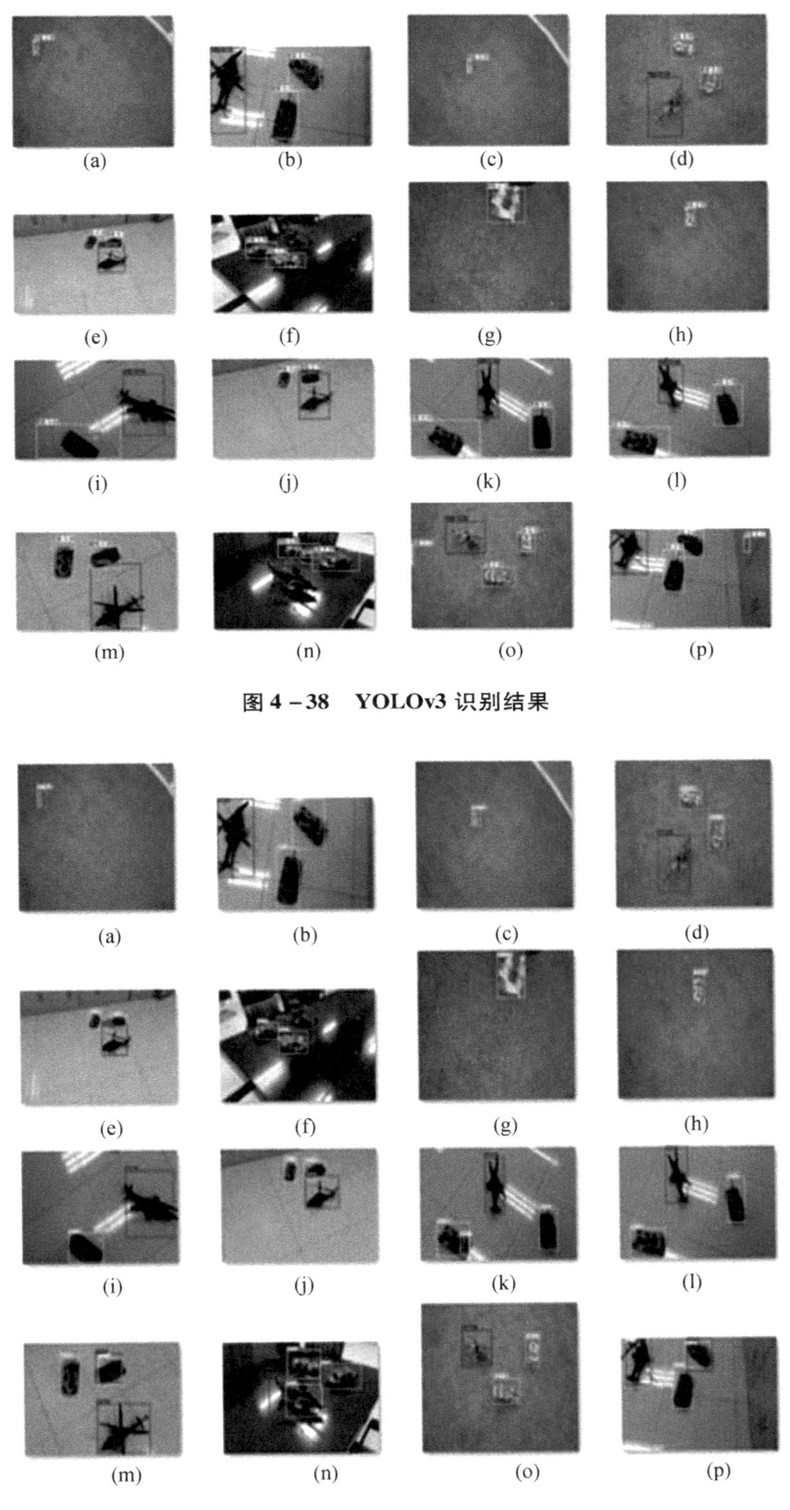

图 4－38　YOLOv3 识别结果

图 4－39　Tiny 识别结果

为了提高训练模型的检测效果和普适性，在后期进行数据集扩大，在网络收集坦克图片 1 200 张，通过 Labelimage 进行标注，得到标注结果。

使用 YOLOv3 算法，在已经训练好的模型上继续训练，由于数据较大，故耗时较长，总耗时约 18 h 后，得到最终的训练模型。识别效果如图 4－40 所示。

图 4－40　数据集扩展后使用 YOLOv3 的识别效果

第5章　直升机和无人机协同作战位置感知算法研究

直升机和无人机协同作战过程中，在完成对战场中存在的目标分类的基础上，还应得到目标的位置、速度、加速度等运动和其他属性信息，从而使指挥员能够及时分析目标的状态，并在一定程度上做出预测。本书以有效提取目标运动信息为出发点，对目标跟踪过程中的滤波预测算法进行研究，并针对现有滤波预测算法都存在的模型依赖缺点，从不依赖于目标运动模型这一新角度出发，将自抗扰控制技术中的微分扩张状态观测器(differential extended state observer，DESO)作为滤波器，通过提取目标的运动信息(如位置、速度、加速度)等对目标的运动轨迹进行预测，以解决常用滤波器运动目标建模困难的问题，实现对快速运动目标和目标完全遮挡时的跟踪。本章节的其余部分将分别对滤波预测算法的重要性及其评价准则，常用的滤波预测算法和基于自抗扰控制技术的非线性滤波算法进行介绍。

5.1　滤波预测算法的重要性及其评价准则

通过滤波预测技术不仅可以得到运动目标的位置、速度和加速度等信息，而且还可以使跟踪系统提前预知目标在下一时刻的位置，从而提高跟踪系统的快速性和跟踪精度。以滤波预测算法为核心的基于运动预测的跟踪算法具有以下优点。

(1)通过较准确的运动预测，可将搜索窗口限制在一个很小的范围，从而减少计算量，提高搜索速度。

(2)当目标被遮挡时，使用预测方法预测目标的位置，可以有效解决目标的遮挡问题，保持跟踪的连续性。

(3)当图像中有多个相似搜索目标时，通过对目标的运动轨迹进行预测，可以准确地将目标与其他物体区别开来，实现对多目标的跟踪。

通常采用统计精度度量方法对滤波预测算法的性能进行评价，该方法通过比较预测值和实际值的差别来评估准确度，主要包括平均绝对偏差(mean absolute error，MAE)和误差均方根(root mean squared error，RMSE)。MAE通过计算预测值与实际值之间的平均绝对值偏差来度量滤波的准确性，MAE越小，滤波质量越高，其计算公式为

$$\mathrm{MAE}=\frac{1}{M}\sum_{i=1}^{M}\left|x_i-\hat{x}_i\right| \tag{5-1}$$

式中　i——采样时刻，x_i 表示真实值，$\hat{x}_i$ 表示预测值，$i=1,2,\cdots,M$。

RMSE 通过计算预测值与实际值之间的平均平方根偏差来度量滤波的准确性，RMSE 越小，滤波质量越高，其计算公式为

$$\mathrm{RMSE}=\left[\frac{1}{M}\sum_{i=1}^{M}(x_i-\hat{x}_i)^2\right]^{\frac{1}{2}} \tag{5-2}$$

5.2 常用的滤波预测算法分析

常用的滤波预测算法包括卡尔曼滤波算法（kalman filter，KF）、扩展卡尔曼滤波算法（extended kalman filter，EKF）、Unscented 卡尔曼滤波算法（unscented kalman filter，UKF）和粒子滤波算法（particle filter，PF）。使用这些滤波算法进行滤波和预测通常需要建立两个模型。

（1）描述随时间演化的状态模型

$$x(k+1)=F(k)x(k)+v(k) \tag{5-3}$$

式中 $x(k)$，$x(k+1)$——k 时刻、$k+1$ 时刻目标的状态向量（如位置、速度、加速度等）；

$v(k)$——系统噪声；

$F(k)$——从 k 时刻到 $k+1$ 时刻的系统转移矩阵，即目标的运动模型。

模型的准确与否影响着滤波及预测的精度。当目标做非机动运动时，跟踪模型容易建立，且可以得到很高的跟踪精度；而对于机动运动目标，由于目标机动的不可预测性，对运动目标进行建模则非常困难。

（2）与状态有关的带有噪声的测量模型

$$z(k)=H(k)x(k)+n(k) \tag{5-4}$$

式中 $z(k)$——观测向量；

$H(k)$——观测矩阵；

$n(k)$——观测噪声。

在使用滤波算法进行滤波时，通常要考虑以下两个问题。

（1）$F(k)$ 和 $H(k)$ 是否为线性函数；

（2）$v(k)$ 和 $n(k)$ 是否为高斯噪声。

当满足条件（1）和条件（2）时，滤波算法为线性滤波问题，Kalman 滤波器是这个领域的最优状态估计算法。只满足条件（1）时，滤波算法为非线性滤波问题，当不满足条件（1）满足条件（2）时，可以使用 EKF 滤波器和 UKF 滤波器；当条件（1）和（2）都不满足时，通常使用粒子滤波器。

5.2.1 Kalman 滤波算法

Kalman 滤波算法是一种常用的滤波预测算法，它是对动态系统的状态序列进行最小方差误差估计的算法，可以以任意一点作为起点开始观测，采用递归滤波的方法预测目标位置，从而简单有效地实现对目标的实时跟踪。假设离散状态方程可表示为

$$x_{k+1} = F_k x_k + v_k \tag{5-5}$$

式中　x_k——k 时刻目标的状态向量，$x_k \in R^{n\times 1}$，在跟踪问题中，状态向量与目标的运动特性有关，可以是位移、速度、加速度等信息；

F_k——已知的状态转移矩阵，$F_k \in R^{n\times n}$；

v_k——统计特性已知的高斯白噪声，$v_k \in R^{n\times 1}$。

Kalman 的递推算法描述如下：

1. 观测部分

观测方程为

$$z_k = H_k x_k + n_k \tag{5-6}$$

式中　z_k——k 时刻含有噪声的观测向量，观测向量代表与状态向量有关的含有噪声的观测值，其维数一般低于状态向量的维数，$z_k \in R^{r\times 1}$；

H_k——已知的观测矩阵，$H_k \in R^{r\times n}$；

n_k——观测噪声，$n_k \in R^{r\times 1}$；

v_k 和 n_k——互不相关的高斯白噪声向量序列，协方差矩阵分别为 Q_k 和 R_k。

2. 预测部分

由于在式(5-5)中，v_k 是均值为零的高斯白噪声，因此其最优估计为零，则状态预测公式表示为

$$\hat{x}_{k+1|k} = F_k \hat{x}_{k|k} \tag{5-7}$$

式中，$\hat{x}_{k+1|k}$表示利用到 k 时刻为止的量测对 $k+1$ 时刻状态变量进行估计所得到的估计值。

误差协方差预测公式为

$$P_{k+1|k} = F_k P_{k|k} F'_k + Q_{k+1} \tag{5-8}$$

3. 修正部分

增益公式：

$$K_{k+1} = P_{k+1|k} H'_{k+1} [H_{k+1} P_{k+1|k} H'_{k+1} + R_{k+1}]^{-1} \tag{5-9}$$

滤波公式：

$$\hat{x}_{k+1|k+1} = \hat{x}_{k+1|k} + K_{k+1}(z_{k+1} - H_{k+1}\hat{x}_{k+1|k}) \tag{5-10}$$

误差协方差更新公式：

$$P_{k+1|k+1} = (I - K_{k+1} H_{k+1}) P_{k+1|k} \tag{5-11}$$

综上所述，Kalman 滤波算法的滤波过程可以分为两步：预测和修正。预测部分负责利用当前的状态和误差协方差矩阵 $P_{k|k}$估计下一时刻的状态，得到先验估计；修正部分将新的实际观测值与先验估计值一起考虑，从而获得后验估计。在每次完成预测和修正以后，由后验估计值预测下一时刻的先验估计，重复以上步骤，这就是 Kalman 滤波算法的递归工作原理。

Kalman 滤波算法是线性最小方差估计，但同时也是一种强限制条件的滤波算法，只有在目标的运动模型符合特定假设的情况下才是最佳滤波算法，而在实际应用中，要精确地建立目标的运动模型是相当困难的，甚至是不可能的目标在运动时，经常要进行加速、减速

和转弯,跟踪设定的目标模型与实际的目标动力学模型的不匹配可能会导致滤波发散,甚至跟踪丢失的情况。此外,Kalman 滤波算法要求过程噪声和观测噪声必须是高斯分布的,且统计特性已知,这些条件在实际中都很难满足。

5.2.2 EKF 滤波算法

EKF 滤波算法通过对非线性模型线性化来解决非线性滤波问题。假设非线性状态方程为

$$x_{k+1}=f_k(x_k)+v_k \tag{5-12}$$

式中 x_k——k 时刻目标状态矢量,$x_k\in R^{n\times 1}$;

v_k——输入噪声,$v_k\in R^{n\times 1}$。

测量方程为

$$z_k=h_k(x_k)+n_k \tag{5-13}$$

式中 z_k——k 时刻含有噪声的观测矢量,$z_k\in R^{r\times 1}$;

n_k——观测噪声,$n_k\in R^{r\times 1}$。

v_k 和 n_k 为互不相关的高斯白噪声向量序列,协方差矩阵分别为 Q_k 和 R_k。$f_k(\cdot)$和 $h_k(\cdot)$是已知的非线性函数,如果这些函数足够光滑,那么可以将这些函数展开成泰勒级数:

$$F_k=\frac{\partial f_k(x_k)}{\partial x_k}\bigg|_{x_k=\hat{x}_{k|k}} \tag{5-14}$$

$$H_k=\frac{\partial h_k(x_k)}{\partial (x_k)}\bigg|_{x_k=\hat{x}_{k+1|k}} \tag{5-15}$$

式中,F_k 和 H_k 是非线性方程 $f_k(\cdot)$和 $h_k(\cdot)$的雅可比(Jacobian Matrix)矩阵,EKF 只利用了非线性函数泰勒展开式中的一次项。

EKF 滤波算法的递推公式为

$$\hat{x}_{k+1|k}=F_k\hat{x}_{k|k} \tag{5-16}$$

$$P_{k+1|k}=F_kP_{k|k}F_k'+Q_{k+1} \tag{5-17}$$

$$K_{k+1}=P_{k+1|k}H_{k+1}'[H_{k+1}P_{k+1|k}H_{k+1}'+R_{k+1}]^{-1} \tag{5-18}$$

$$\hat{x}_{k+1|k+1}=\hat{x}_{k+1|k}+K_{k+1}(z_{k+1}-H_{k+1}\hat{x}_{k+1|k}) \tag{5-19}$$

$$P_{k+1|k+1}=(I-K_{k+1}H_{k+1})P_{k+1|k} \tag{5-20}$$

EKF 滤波算法具有方法简单、容易实现、收敛速度快等优点,是一种广泛适用的非线性估计方法。但 EKF 在实际使用中存在以下明显的缺陷。

(1)EKF 需计算雅可比矩阵的导数,这在多数情况下都不是一件容易的事。

(2)EKF 仅仅利用了非线性函数泰勒展开式的一阶偏导部分,忽略了高阶项,常常导致在状态的后验分布的估计上产生较大的误差,影响滤波算法的性能,从而影响整个跟踪系统的性能。

(3)实际系统往往是非高斯、非线性的,而 EKF 是 Kalman 滤波器的变形,仍然要求系统噪声和量测噪声服从高斯分布,因此在实际中很难满足。

(4)EKF 对模型误差的鲁棒性较差。

5.2.3　UKF 滤波算法

与 EKF 不同，UKF 不必线性化非线性状态方程和观测方程，而是直接利用非线性状态方程来估算状态向量的概率密度函数，它利用 UT(unscented transformation)变换方法，用一组确定的采样点来近似后验概率。

1. UT 变换

UT 变换是一种计算非线性传递的随机向量概率的方法。设 x 是 L 维随机变量，其均值和协方差分别为 $\bar{x}$ 和 P_{xx}，y 是另一随机变量，它同 x 成非线性关系，$y=f(x)$，UT 变换通过以下三个步骤完成对 y 的均值 $\bar{y}$ 和协方差 P_{yy} 的计算。

(1)Sigma 点的生成

根据随机变量 x 的 $\bar{x}$ 和 P_{xx}，构造一组在 $\bar{x}$ 附近的 Sigma 点，记为 $\{\chi^i, i=0,1,\cdots,2L\}$，其中上标表示对应的第 i 个点。Sigma 点集 $\{\chi^i, i=0,1,\cdots,2L\}$ 可以由如下公式得到：

$$\chi^0=\bar{x} \tag{5-21}$$

$$\chi^i=\bar{x}+\left(\sqrt{(L+\lambda)P_{xx}}\right)_i,\quad i=1,\cdots,L \tag{5-22}$$

$$\chi^j=\bar{x}-\left(\sqrt{(L+\lambda)P_{xx}}\right)_j,\quad j=L+1,\cdots,2L \tag{5-23}$$

$$W^0=\lambda/(L+\lambda), \tag{5-24}$$

$$W^i=1/2(L+\lambda),\quad i=1,\cdots,2L \tag{5-25}$$

$$W^j=1/2(L+\lambda),\quad j=L+1,\cdots,2L \tag{5-26}$$

式中，λ 为控制 Sigma 点分布的微调参数，$\lambda\in R$，若先验概率分布为高斯分布，Julier 建议 λ 的选择遵循公式：$L+\lambda=3$。

式(5-22)中，$\left(\sqrt{(L+\lambda)P_{xx}}\right)_i$ 是矩阵 $(L+\lambda)P_{xx}$ 的平方根矩阵中的第 i 行或第 i 列，且满足：

$$\sqrt{(L+\lambda)P_{xx}}\,\sqrt{(L+\lambda)P_{xx}}^{T}=(L+\lambda)P_{xx} \tag{5-27}$$

式(5-25)和式(5-26)中，W^i、W^j 分别表示对应于 Sigma 点 χ^i 和 χ^j 的权值。由步骤(1)生成的 Sigma 点具有和 x 相同的均值和协方差。

(2)非线性函数的计算

把生成的 $2L+1$ 个 Sigma 点逐个带入非线性函数 $y=f(x)$，得到一系列变换点，$Y^i=f(\chi^i)$。

(3)均值和方差的计算

根据 $\{Y^i\}$，计算 y 的均值 $\bar{y}=\sum_{i=0}^{2L}W^iY^i$ 和协方差为

$$P_{yy}=\sum_{i=0}^{2L}W^i\{Y^i-\bar{y}\}\{Y^i-\bar{y}\}^{\mathrm{T}} \tag{5-28}$$

2. UKF 滤波算法

当非线性状态方程和测量方程分别如式(5-12)和式(5-13)所示时，UKF 滤波算法如下。

(1)根据 $\hat{x}_{k|k}$ 和 $P_{k|k}$，计算 Sigma 点集 $\chi^i_{k|k}$，$i=0,1,\cdots,2L$；

(2)对 Sigma 点集$\{\chi_{k|k}^{i}\}$应用状态模型传递取样点,计算公式为

$$\chi_{k+1|k}^{i}=f_{k}(\chi_{k|k}^{i}) \tag{5-29}$$

(3)利用预测取样点,计算预测均值和协方差,计算公式为

$$\hat{x}_{k+1|k} = \sum_{i=0}^{2L} W^{i}\chi_{k+1|k}^{i} \tag{5-30}$$

$$P_{k+1|k} = \sum_{i=0}^{2L} W^{i}[\chi_{k+1|k}^{i} - \hat{x}_{k+1|k}^{i}][\chi_{k+1|k}^{i} - \hat{x}_{k+1|k}^{i}]^{\mathrm{T}} + Q_{k} \tag{5-31}$$

从式(5-30)和式(5-31)中可以看出,在状态方程如式(5-12)所示时,过程噪声不参与$\chi_{k|k}^{i}$的传播,仅通过它的协方差增大系统状态的协方差。

预测量测采样点,计算公式为

$$z_{k+1|k}^{i}=h_{k}(\chi_{k+1|k}^{i}) \tag{5-32}$$

预测测量值及测量方差矩阵S_{k+1}的计算公式如下:

$$\hat{z}_{k+1|k} = \sum_{i=0}^{2L} W^{i}z_{k+1|k}^{i} \tag{5-33}$$

$$S_{k+1} = \sum_{i=0}^{2L} W^{i}[z_{k+1|k}^{i} - \hat{z}_{k+1|k}][z_{k+1|k}^{i} - \hat{z}_{k+1|k}]^{\mathrm{T}} + R_{k} \tag{5-34}$$

状态向量与测量值的协方差矩阵用$P_{x_{k+1}|z_{k+1}}$表示,其计算公式为

$$P_{x_{k+1}z_{k+1}} = \sum_{i=0}^{2L} W^{i}[\chi_{k+1|k}^{i} - \hat{x}_{k+1|k}][z_{k+1|k}^{i} - \hat{z}_{k+1|k}]^{\mathrm{T}} \tag{5-35}$$

(4)计算 UKF 增益,更新状态向量和方差,计算公式为

$$K_{k+1}=P_{x_{k+1}z_{k+1}}S_{k+1}^{-1} \tag{5-36}$$

$$\hat{x}_{k+1|k+1}=\hat{x}_{k+1|k}+K_{k+1}(z_{k+1}-\hat{z}_{k+1|k}) \tag{5-37}$$

$$P_{k+1|k+1}=P_{k+1|k}-K_{k+1}S_{k+1}K_{k+1}' \tag{5-38}$$

从以上对 UKF 滤波器的描述可以看出,相比 EKF,UKF 算法无须对系统方程进行线性化,避免了线性化误差的引入,算法简洁、稳定、计算量适中。但在 UKF 算法中存在以下缺点。

①采样点会随着状态变量维数的增加而增加,计算量也会随之增大。

②UKF 滤波算法和 EKF 滤波算法都是对线性 Kalman 滤波算法的改进,对于非高斯分布的系统都不适用,并且模型误差的鲁棒性较差。

5.2.4 粒子滤波算法

粒子滤波算法(particle filter,PF)是蒙特卡洛(Monte Carlo)方法和贝叶斯(Bayes)方法的结合,也是求解贝叶斯估计问题的一种实用算法。该类算法对系统噪声没有限制,它通过大量的粒子点递推表示系统的后验概率密度函数,来处理完全非线性非高斯系统状态估计问题。假定动态时变系统描述如下:

$$\begin{aligned} x_{k} &= f_{k}(x_{k-1},v_{k-1}) \\ z_{k} &= h_{k}(x_{k},n_{k}) \end{aligned} \tag{5-39}$$

整个贝叶斯滤波可以视为以$p(x_{k-1}|z_{1:k-1})$和z_{k}为输入的两步处理过程:

(1)预测,从前一时刻的后验概率 $p(x_{k-1}|z_{1:k-1})$ 推算出单步预测概率密度 $p(x_k|z_{1:k-1})$:

$$p(x_k|z_{1:k-1}) = \int p(x_k|x_{k-1},z_{1:k-1})p(x_{k-1}|z_{1:k-1})\mathrm{d}x_{k-1} \tag{5-40}$$

(2)观测更新,组合 z_k 和在预测阶段得到的 $p(x_k|z_{1:k-1})$,生成所期望的后验概率 $p(x_k|z_{1:k})$:

$$p(x_k|z_{1:k}) = \frac{p(z_k|x_k,z_{1:k-1})p(x_k|z_{1:k-1})}{p(z_k|z_{1:k-1})} \tag{5-41}$$

式中,$p(z_k|z_{1:k-1}) = \int p(z_k|x_k,z_{1:k-1})p(x_k|z_{1:k-1})\mathrm{d}x_k$,式(5-41)描述了贝叶斯估计的基本思想。

蒙特卡洛方法通常用来近似难以处理的数值积分。假设从关于变量 x 的概率分布 $p(x)$ 中抽取一组样本 $\{x^i,w^i\}$($i=1,2,\cdots,N$,N 为样本总数,w^i 为 $x=x^i$ 时的概率),那么就可以用该样本估计任意关于 x 的函数 $g(x)$ 的期望值。根据期望定义,有

$$E(g(x)) = \int g(x)p(x)\mathrm{d}x \tag{5-42}$$

可以按下式近似这个期望:

$$\hat{E}(g(x)) = \sum_{i=1}^{N} w^i g(x^i) \tag{5-43}$$

更进一步,可以用这些粒子来近似任意随机变量的概率分布。例如对任一子集 A,有密度函数 $p(x \in A) = \sum_{i=1}^{N} w^i \delta(x-x^i)$,其中 $\delta(\cdot)$ 为 Delta 函数:

$$\delta(x-x^i) = \begin{cases} 1 & x=x^i \\ 0 & x \neq x^i \end{cases} \tag{5-44}$$

粒子滤波算法用数学语言描述如下:对于平稳随机过程,假定 $k-1$ 时刻系统的后验概率为 $p(x_{k-1}|z_{k-1})$ 依据一定原则选取 n 个粒子,k 时刻获得测量信息后,经过状态预测和时间更新过程后,n 个粒子的后验概率密度可近似为 $p(x_k|z_k)$。

SIS 粒子滤波算法(sequential importance sampling,SIS)是一种典型的滤波算法,其计算过程可以描述为:

- 初始化:令 $t=0$,从初始先验分布中抽取样本粒子 $\{x_0^i\}_{i=1}^N$,$\tilde{w}_0^i=1/N$,$i=1,2,\cdots,N$;

令 $t=1,\cdots,T$,进行滤波,具体步骤如下。

(1)重要采样:

- 抽样 $\{x_t^i\}_{i=1}^N \sim p(x_t^i|x_{t-1}^i)$;
- 计算每个粒子的重要权值 $w_t^i=\tilde{w}_t^i p(y_t|x_t^i)$;
- 标准化重要权值 $\tilde{w}_t^i = \frac{w_t^i}{\sum_{j=1}^N w_t^j}$,$i=1,2,\cdots,N$。

(2)如果进行选择/重采样,则

- 保留权值较大的粒子；
- 按照一定的规则对保留的粒子分散产生新的样本粒子组$\{x_t^{i*}\}_{i=1}^N$替代原来的粒子组$\{x_t^i\}_{i=1}^N$；
- 否则$\{x_t^{i*}\}_{i=1}^N=\{x_t^i\}_{i=1}^N$。

(3)根据状态转移模型$x_{t+1}^i=f(x_t^i,v_t^i)$，$i=1,\cdots,N$，预测$t+1$时刻的粒子组$\{x_{t+1}^i\}_{i=1}^N$；

(4)返回(1)继续执行。

在SIS算法中，普遍存在的一个问题就是权系数的退化问题，经过若干次迭代后，粒子的权值方差随时间逐渐增大，大多数粒子的权值会变得很小，只有少数粒子的权值很大，小权值的粒子对问题的求解贡献很小，如果继续递推下去，大量的计算都会浪费在对求解几乎不起任何作用的粒子更新上。虽然重采样方法可以改善对退化问题的效果，但也存在以下缺点：首先，不断地重新确定新的粒子集合，减少了并行计算的机会；其次，拥有较大权值的粒子会被多次选择，削弱了粒子的多样性，采样的粒子样本包含许多重复的点，从而造成采样贫困，在系统噪声很小时会很明显，多次迭代后所有粒子会收敛到一个点。

粒子滤波算法和UKF滤波算法表面看起来很相似，但其具有以下差别。

(1)粒子滤波算法的样本是随机选择的，而在UKF滤波算法中，样本通过一个明确并确定的方法获取。

(2)粒子滤波算法可以对非线性非高斯系统滤波，而UKF滤波算法是Kalman滤波算法的变形，不能对带有非高斯噪声的系统滤波。

(3)在UT变换后，x_k的高阶信息只通过少量的Sigma点包含，计算比粒子滤波简单。各种常用的滤波算法具体归纳如表5－11所示。

表5－11　常用滤波算法的总结

观测方程	状态方程			
	线性高斯	线性非高斯	非线性高斯	非线性非高斯
线性高斯	Kalman	PF	EKF/UKF/PF	PF
线性非高斯	PF	PF	PF	PF
非线性高斯	EKF/UKF/PF	PF	EKF/UKF/PF	PF
非线性非高斯	PF	PF	PF	PF

从表5－11可以看出，Kalman、EKF和UKF只适用于噪声是高斯噪声的情形；在状态方程和观测方程都是非线性的，噪声是非高斯噪声时，只能使用PF，但PF具有计算量大的特点，易陷入采样贫困的缺点。此外，无论是线性的Kalman滤波算法还是非线性的EKF滤波算法、UKF滤波算法以及粒子滤波算法的滤波精度都受假定目标运动模型的限制，当目标的运动模型和假定的目标运动模型不一致时，滤波精度会下降。

5.3　基于自抗扰控制技术的非线性滤波算法

自抗扰控制技术(active disturbance rejection controller ,ADRC)是为适应数字控制的需要而发展起来的一种新型控制技术,在发展初期,研究的控制对象都是不带噪声的系统。为了拓展自抗扰控制技术的应用领域,近年来开始对带噪声的研究对象进行控制,其中的关键技术之一就是滤波问题。韩京清研究员在《自抗扰控制器及其应用》一书中对 ADRC 技术中的滤波器的滤波性能进行了研究,结果发现,自抗扰控制技术中的跟踪微分器(tracking differentiator,TD)和扩张状态观测器(extended state observer, ESO)只要适当选取参数,均具有较好的滤波功能。其中跟踪微分器和扩张状态观测器用于滤波时,分别称为 TD 滤波器和 ESO 滤波器。

5.3.1　TD 滤波器

TD 提出的目的是较好地解决在实际工程中,由不连续或带随机噪声的量测信号合理提取连续信号及微分信号的问题。在 PID 控制算法中,一般采用如下数学形式提取微分信号:

$$y=\frac{s}{\tau s+1}v=\frac{1}{\tau}\left(1-\frac{1}{\tau s+1}\right)v \tag{5-45}$$

当式(5 - 45)中的时间常数 τ 较小时,可以化为

$$y(t)\approx\frac{1}{\tau}[v(t)-v(t-\tau)]\approx\dot{v}(t) \tag{5-46}$$

式中,$v(t)$、$y(t)$分别是系统的输入、输出信号,延迟信号 $v(t-\tau)$通过式(5 - 45)中的惯性环节$\frac{1}{\tau s+1}$积分实现。

当对信号 $v(t)$叠加随机噪声 $n(t)$时,有

$$y(t)\approx\frac{1}{\tau}[v(t)-v(t-\tau)]+\frac{n(t)}{\tau}\approx\dot{v}(t)+\frac{1}{\tau}n(t) \tag{5-47}$$

因此,经典微分器对噪声有放大作用,τ 越小,系统输出的“噪声放大”就越严重。这也就是工业控制中的“PID”为何多采用“PI”而不采用微分“D”来实现控制的原因。为此对上面取微分的形式进行简单改造,即取

$$\dot{v}(t)\approx\frac{v(t-\tau_2)-v(t-\tau_1)}{\tau_2-\tau_1}\quad 0<\tau_1<\tau_2 \tag{5-48}$$

则有

$$y=\frac{1}{\tau_2-\tau_1}\left(\frac{1}{\tau_1 s+1}-\frac{1}{\tau_2 s+1}\right)v=\frac{s}{\tau_1\tau_2 s^2+(\tau_1+\tau_2)s+1}v \tag{5-49}$$

当 τ_1 和 τ_2 足够小时,能够在有噪声的情况下,获得良好的微分信号,减少噪声的放大作用,用“尽快跟踪输入信号”的办法得到“微分”信号,由此产生了跟踪微分器。

定理 1 跟踪微分器理论

设二阶系统

$$\begin{cases}\dot{x}_1 = x_2\\ \dot{x}_2 = f(x_1, x_2)\end{cases} \tag{5-50}$$

稳定,那么对任意有界可测信号 $v(t), t\in[0,+\infty), \forall T>0$,有

$$\begin{cases}\dot{x}_1 = x_2\\ \dot{x}_2 = r^2 f\left[x_1 - v(t), \dfrac{x_2}{r}\right]\end{cases} \tag{5-51}$$

的解 $x_1(r,t)$ 满足:

$$\lim_{R\to\infty}\int_0^T |x_1(r,t) - v(t)|\mathrm{d}t = 0 \tag{5-52}$$

系统(5-51)称为系统(5-52)派生的跟踪微分器,一般 $f(\cdot)$ 取适当的非线性函数。当 r 足够大时,$x_1(t)$ 充分跟踪 $v(t)$,而 $x_2(t)$ 实际上是函数 $v(t)$ 的广义导数在弱收敛意义下的近似。因此,$x_2(t)$ 是 $v(t)$ 的近似微分,r 越大,近似精度越高。

通常,对于二阶系统,有

$$\begin{cases}\dot{x}_1 = x_2\\ \dot{x}_2 = u, |u|\leqslant r\end{cases} \tag{5-53}$$

其“快速最优控制”综合系统为

$$\begin{cases}\dot{x}_1 = x_2\\ \dot{x}_2 = -r\mathrm{sign}\left(x_1 + \dfrac{x_2|x_2|}{2r}\right)\end{cases} \tag{5-54}$$

将 $x_1(t)$ 改为 $x_1(t) - v(t)$,得

$$\begin{cases}\dot{x}_1 = x_2\\ \dot{x}_2 = -r\mathrm{sign}\left[x_1 - v(t) + \dfrac{x_2|x_2|}{2r}\right]\end{cases} \tag{5-55}$$

$x_1(t)$ 在限制 $|\ddot{x}_1|\leqslant r$ 下,能最快地跟踪输入信号 $v(t)$。$x_1(t)$ 充分接近 $v(t)$ 时,有 $x_2(t) = \dot{x}_1(t)$。系统 (5-55)称作“快速跟踪微分器”。

为了避免产生颤振,用线性饱和函数 sat 代替符号函数,则 TD 结构为

$$\begin{cases}\dot{x}_1 = x_2\\ \dot{x}_2 = -r\mathrm{sat}\left(x_1 - v(t) + \dfrac{x_2|x_2|}{2r}, \delta\right)\end{cases} \tag{5-56}$$

其中

$$\mathrm{sat}(A,\delta) = \begin{cases}\mathrm{sign}(A) & |A|\geqslant\delta\\ A/\delta & |A|<\delta\end{cases} \tag{5-57}$$

在用 TD 进行数值计算进入“稳态”时,易产生“高频颤振”,即使将符号函数改成饱和函数也不能避免。为此,在“等时区概念”的基础上推导出了更适合数字计算的“跟踪微分器的离散形式”。

二阶离散系统：

$$\begin{cases} v_1(k+1)=v_1(k)+h\cdot v_2(k) \\ v_2(k+1)=v_2(k)+h\cdot u,\ |u|\leqslant r \end{cases} \tag{5-58}$$

的“快速控制最优综合函数”为 $u=fst(v_1-v,v_2,r,h)$，其具体形式为

$$\begin{cases} d=r\cdot h \\ d_0=d\cdot h \\ y=v_1-v+h\cdot v_2 \\ a_0=\sqrt{d+8r|y|} \\ a_1=\begin{cases} v_2+\dfrac{y}{h},\ |y|\leqslant d_0 \\ v_2+\dfrac{\mathrm{sign}(y)(a_0-d)}{2},\ |y|>d_0 \end{cases} \\ fst=\begin{cases} -r\dfrac{a_1}{d},\ |a_1|\leqslant d \\ -r\mathrm{sign}(a_1),\ |a_1|>d \end{cases} \end{cases} \tag{5-59}$$

式中，h 为采样步长。

称离散系统

$$\begin{cases} v_1(k+1)=v_1(k)+h\cdot v_2(k) \\ v_2(k+1)=v_2(k)+h\cdot fst\,[v_1(k)-v(k),v_2(k),r,h] \end{cases} \tag{5-60}$$

为“快速离散跟踪微分器”，它具有良好的数值微分功能。如果把函数 $fst(\cdot)$ 中的变量 h 取为与步长 h 独立的新变量 h_0，则

$$\begin{cases} v_1(k+1)=v_1(k)+h\cdot v_2(k) \\ v_2(k+1)=v_2(k)+h\cdot fst(v_1(k)-v(k),v_2(k),r,h_0) \end{cases} \tag{5-61}$$

式中，v 为输入信号，v_1 为 v 的跟踪信号，v_2 为 v_1 的导数，可视为输入信号 v 的导数，h 是采样步长，r 是决定跟踪快慢的参数，称作“速度因子”。r 越大，v_1 跟踪信号 v 的速度就越快，但当 v 被噪声污染时，增大 v_1 会使信号 v_1 被污染的程度加深。h_0 影响着对噪声的滤波作用，称作“滤波因子”。h_0 越大，滤波效果越好。然而，h_0 越大，跟踪信号的相位也损失越大。研究结果表明，当 $h_0>h$ 时，对于含有噪声的信号，TD 滤波器有较好的滤波功能。因此在确定 TD 滤波器的参数取值时，r 和 h_0 需要调整。

TD 滤波器在较好地跟踪输入信号并提取微分信号的同时产生了一定的相位延迟，武利强博士在其博士论文中提出了利用 TD 给出的微分信号进行适当步数的预报来解决相位延迟问题，预报公式为

$$\hat{v}_1(k)=v_1(k)+n\cdot h\cdot v_2(k) \tag{5-63}$$

式中，h 表示采样步长，n 表示预报的步数。

5.3.2　ESO 滤波器

ESO 是自抗扰控制器的另一个关键组成部分之一，它不依赖于系统的数学模型，不仅

能对系统的状态进行估计,而且能实时估计出系统内、外扰的总和。与 TD 相比,ESO 具有提取更高阶导数的能力。考虑一个不带观测噪声的非线性系统:

$$\begin{cases} x^{(n)} = f[x, \dot{x}, \cdots, x^{(n-1)}, w(t), t] + bu \\ y = x(t) \end{cases} \tag{5-64}$$

式中,$w(t)$表示外扰作用。它的状态空间表示形式为

$$\begin{cases} \dot{x}_1 = x_2 \\ \vdots \\ \dot{x}_{n-1} = x_n \\ \dot{x}_n = f[x, \dot{x}, \cdots, x^{n-1}, w(t), t] + bu \\ y = x_1 \end{cases} \tag{5-65}$$

设 $x_{n+1} = f[x, \dot{x}, \cdots, x^{n-1}, w(t), t] = a(t)$,则

$$\begin{cases} \dot{x}_1 = x_2 \\ \vdots \\ \dot{x}_{n-1} = x_n \\ \dot{x}_n = x_{n+1} + bu \\ \dot{x}_{n+1} = \dot{a}(t) \\ y = x_1 \end{cases} \tag{5-66}$$

可以构造一个扩张状态观测器 ESO:

$$\begin{cases} e = z_1 - y \\ \dot{z}_1 = z_2 - \beta_{01} e \\ \dot{z}_2 = z_3 - \beta_{02} fal(e, \alpha/2, \delta) \\ \vdots \\ \dot{z}_n = z_{n+1} - \beta_{0n} fal(e, \alpha/2^{n-1}, \delta) \\ \dot{z}_{n+1} = -\beta_{0n+1} fal(e, \alpha/2^n, \delta) \end{cases} \tag{5-67}$$

其中

$$fal(\varepsilon, \gamma, \delta) = \begin{cases} |\varepsilon|^{\gamma} \text{sign}(\varepsilon) & |\varepsilon| > \delta \\ \varepsilon/\delta^{1-\gamma} & |\varepsilon| \leqslant \delta \end{cases} \tag{5-68}$$

式(5-67)中,β_{01}、β_{02}、β_{03}、α 和 δ 是可调参数,通常设 $\alpha = 1$,δ 称为滤波因子。

ESO 观测器除了给出状态变量 $x_1, x_2, \cdots, x_n$ 的估计 $z_1, z_2, \cdots, z_n$ 外,还给出了未知函数 $f(x_1, x_2, \cdots, x_n, t)$ 在过程中的实时作用量 $a(t) = f(x_1, x_2, \cdots, x_n, t)$ 的估计 z_{n+1}。

在目标跟踪过程中,可以利用 ESO 提取跟踪信号高阶导数的能力,使用泰勒展开式对目标的运动轨迹进行预测,即

$$f(k+t) = f(k) + f'(k) \times t + \frac{f''(k)}{2} \times (t)^2 + \cdots + \frac{f^{(n)}(k)}{n!} \times (t)^n \tag{5-69}$$

式中,t 表示采样间隔,通常取 0.04 s(表示每秒采集 25 帧)或 0.025 s(表示每秒采集 40

帧），$f(k)$、$f'(k)$、$f''(k)$、$f^{(3)}(k)$分别表示目标在 k 时刻的位置、速度、加速度和加加速度。目标在作匀加速运动时，可以使用三阶 ESO，则目标运动轨迹的预测方程为

$$f(k+t)=f(k)+f'(k)\times t+\frac{f''(k)}{2}\times(t)^2 \tag{5-70}$$

相比 TD 滤波器，ESO 滤波器可以给出跟踪信号的高阶微分信号，从而更好地对信号进行预测；但当系统中含有观测噪声时，ESO 的滤波性能不好，为此甘作新在其博士论文《扩张状态观测器的稳定性及其滤波特性研究》中将 TD 和 ESO 结合在一起，构成一个新的滤波器，称为微分扩张状态观测器（differential extended state observer, DESO）。

5.3.3　DESO 滤波器

DESO 滤波器的基本思路是：充分利用跟踪微分器的滤波特性，采用跟踪微分器来进行噪声滤波并用其得到的预报值来建立扩张状态观测器。给式（5－66）的观测方程中添加量测噪声 d，得到一个具有量测噪声的 n 阶系统为

$$\begin{cases}\dot{x}_1=x_2\\ \quad\vdots\\ \dot{x}_{n-1}=x_n\\ \dot{x}_n=x_{n+1}+bu\\ \dot{x}_{n+1}=\dot{a}(t)\\ y=x_1+d\end{cases} \tag{5-71}$$

DESO 滤波器的结构为

$$\begin{cases}v_1(t+h)=v_1(t)+h\cdot v_2(t)\\ v_2(t+h)=v_2(t)+h\cdot fst[v_1(t)-y,v_2(t),r,h_1]\\ y_0=v_1+n\cdot h\cdot v_2\\ e=z_1-y_0\\ \dot{z}_1=z_2-\beta_{01}\cdot e\\ \dot{z}_2=z_3-\beta_{02}\cdot fal(e,\alpha/2,\delta)\\ \quad\vdots\\ \dot{z}_{n+1}=z_{n+2}-\beta_{0n+1}\cdot fal(e,\alpha/2^n,\delta)\\ \dot{z}_{n+2}=-\beta_{0n+2}\cdot fal(e,\alpha/2^{n+1},\delta)\end{cases} \tag{5-72}$$

式（5－72）是一个 $n+2$ 阶系统，其中 $z_1\to x_1, z_2\to x_2, \cdots, z_{n+2}\to a(t)$。当不考虑 ESO 滤波器的作用时，系统（5－72）简化为 TD 滤波器。

通过理论分析可知，DESO 滤波器综合了 TD 滤波器和 ESO 滤波器的性能，克服了 ESO 滤波器不能对带观测噪声的系统进行滤波的缺点，因此 DESO 滤波器作为 ADRC 滤波技术的代表，可用于目标跟踪领域。

5.4 本章小结

针对直升机和无人机协同作战过程中目标的位置、速度、加速度等运动信息提取的需要,本章以有效提取目标运动信息为出发点,对目标跟踪过程中的滤波预测算法进行研究。对常用的Kalman、EKF、UKF以及粒子滤波算法进行了逐一扼要的介绍,并对其优缺点进行了总结和归纳。针对这些滤波算法的滤波性能严重依赖于假定目标运动模型的问题,在对ADRC控制技术中的DESO进行理论分析后,将其引入到目标运动轨迹的预测中。

第6章　直升机和无人机战场目标威胁态势评估技术研究

6.1　战场目标威胁态势建模

目标威胁评估的分析主要考虑以下影响因素：目标类型、目标速度、目标干扰能力、目标航向角、目标距离、目标高度等。本书关注目标主要为以下三大类：导弹发射装置、地面装甲目标、空中高速飞行物，因此根据重点关注目标，主要考虑地空导弹、坦克、雷达、高炮、高速飞行物等在内的潜在威胁。态势感知必须预测分析威胁场的分布，因此，能够准确地对规划区域内的各种威胁进行建模，是能否顺利进行态势感知的一个重要前提。

态势感知中威胁估计以最为常见的地空导弹、固定雷达、高炮和空中高速目标四种威胁为例，对其进行建模，并将威胁转化为地形、地物信息为威胁态势模型，如图6－1所示。

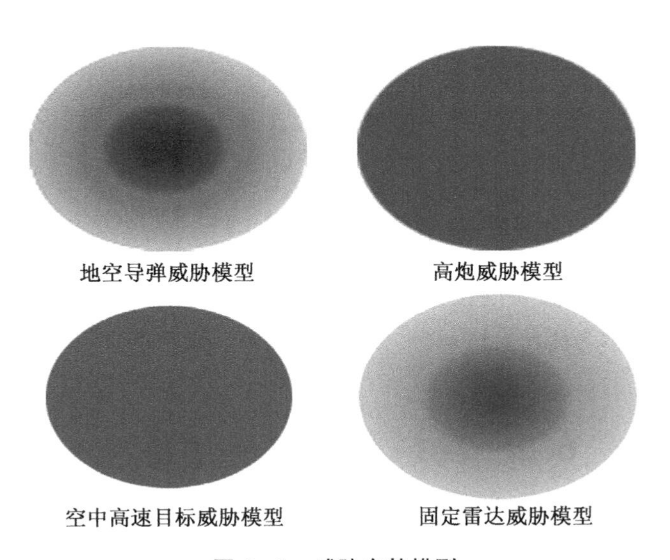

图6－1　威胁态势模型

6.6.1　地空导弹的威胁模型建模

根据地空导弹的杀伤区特点，假设导弹杀伤目标的概率分布是关于水平距离 r 的泊松分布，并且在最大作用距离 R_{max} 处的杀伤概率是 e^{-1}。当无人作战飞机暴露在地空导弹的有效射程范围内时，导弹对无人机造成的威胁概率模型可表示为

$$P_{missile}=e^{-\frac{r}{R_{max}}} \tag{6-1}$$

式中 r——无人机与导弹之间的水平距离，在计算中可以简化为

$$P_{missile}\approx\frac{R_{max}}{r+R_{max}} \tag{6-2}$$

6.1.2 固定雷达的威胁模型建模

影响雷达探测特性的因素很多，这里主要考虑无人侦察飞机与雷达的距离以及雷达的性能。当无人机到达雷达的作用区域时，认为雷达发现目标的概率是泊松分布，在雷达的水平最大作用距离 R_{max} 处，雷达的发现概率为 e^{-1}，因此雷达发现目标的概率模型可以近似表达为

$$P_{radar}=e^{-\frac{kr2}{h}\cdot\frac{r4}{R_{radar}{}^4}} \tag{6-3}$$

式中 h——无人机相对于地面的飞行高度；

r——雷达与无人机之间的水平距离；

R_{radar}——雷达的水平最大作用距离；

k——与雷达特性有关的系数。

在实际计算中，可以把雷达发现目标的概率模型简化为

$$P_{radar}\approx\frac{R_{max}{}^4}{r^4+R_{max}{}^4} \tag{6-4}$$

6.1.3 高炮的威胁模型建模

由于高炮对于低空突防的威胁性很大，因此在高炮的作用范围内，对作战造成的威胁概率模型可以表示为 $P_{flack}=1$。

6.1.4 空中高速目标的威胁模型建模

由于空中高速目标的威胁性很大，因此在空中高速目标的作用范围内，对作战造成的威胁概率模型可以表示为 $P_{flack}=1$。

6.2 战场目标威胁度排序

态势评估作为战场信息的高级处理过程，是一个复杂的推理和决策过程。其中，目标威胁度的确定对指挥决策具有重要作用。例如判断某一空中目标对我方是否构成威胁，威胁度有多大，涉及目标类型、目标速度、目标航向角度、干扰能力、目标的高度和相对距离等诸多因素的影响，目标综合威胁度模型如图 6-2 所示。这些因素既能定性又能定量，并且威胁等级与各个因素之间又存在着复杂的非线性关系。目前解决这类问题并无统一的方法或理论，许多方法都侧重于用特定的理论或体系解决特定的问题。

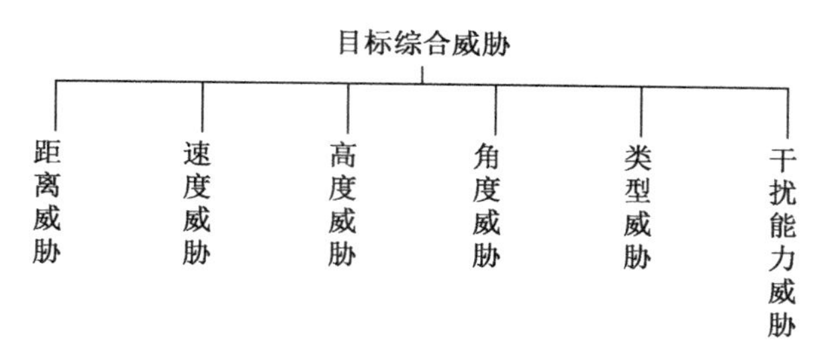

图6－2　目标综合威胁度模型

基于模糊理论的MODM方法采用模糊隶属函数对目标各个因素进行量化，再运用加权平均值法求得目标的威胁度并进行排序。目标各个因素的隶属函数如下。

速度威胁隶属函数：

$$u=\begin{cases}\dfrac{0.9v}{5.0} & 0\leqslant v\leqslant 5.0(\mathrm{Ma})\\ 1 & v>5.0(\mathrm{Ma})\end{cases} \tag{6-5}$$

角度威胁隶属函数：

$$u=\begin{cases}1-\dfrac{0.9q}{36} & 0\leqslant q\leqslant 36^\circ\\ 1 & q>36^\circ\end{cases} \tag{6-6}$$

距离威胁隶属函数：

$$u=\begin{cases}1-\dfrac{0.9d}{450} & 0\leqslant d\leqslant 450(\mathrm{km})\\ 0 & d>450(\mathrm{km})\end{cases} \tag{6-7}$$

类型威胁隶属函数：

$$u=\begin{cases}0.8 & \text{小型目标}\\ 0.5 & \text{大型目标}\\ 0.3 & \text{其他目标}\end{cases} \tag{6-8}$$

高度威胁隶属函数：

$$u=\begin{cases}0.9 & \text{高空}\\ 0.7 & \text{中空}\\ 0.5 & \text{低空}\\ 0.3 & \text{超低空}\\ 0.1 & \text{地面}\end{cases} \tag{6-9}$$

干扰能力威胁隶属函数：

$$u=\begin{cases}0.8 & \text{强}\\ 0.6 & \text{中}\\ 0.4 & \text{弱}\\ 0.2 & \text{无}\end{cases} \tag{6-10}$$

根据上述隶属函数可以求得各个属性的威胁隶属度，运用加权平均值法求得目标威胁度，公式如下：

$$U_i = \sum_{j=1}^{n} w_j u_{ij} \tag{6-11}$$

式中，w_j为各个因素的权值。

最后，按照目标威胁度的大小进行排序，结果如表 6－1 所示。

表 6－1 综合威胁度排序表

	地空导弹	固定雷达	坦克	高炮	空中高速目标
威胁值	0.594 8	0.502 1	0.479 6	0.781 2	0.670 7
威胁排序	3	4	5	1	2

6.3 基于非完备多模态信息的态势判断与趋势决策

相似性度量作为决策问题的基本问题，结合多模态信息的特点，提出一种基于跨模态一致性的相似性度量方法，即对战场各模态数据进行鲁棒性表征，设计表征自适应的多模态信息融合，从而实现多模态信息相似性检测方法。

对异质信息进行高层语义分析理解时，仍然离不开从异质信息中直接提取得到的底层特征（low level feature）。采用子空间聚类的低秩表示建立单一模态表征自适应模型，即将同一模态数据特征在无监督条件下进行选择，使得相关特征可以进行线性表示，以有效去除冗余信息，减少后续计算量，提高可分性。

学习基于跨模态信息的样本的距离度量，目的是使语义相近跨媒体样本距离大于语义相同跨媒体样本距离，且语义不同跨媒体样本距离要大于语义相近跨媒体样本距离，基于此语义，约束学习单一模态的投影矩阵。假设有 n 个跨模态数据对 $D=\{x_i, y_i, c_i\}_{i=1}^{n}$，其中，$x_i \in R^{d_x}$是来自模态 X 的样本，$y_i \in R^{d_y}$是来自模态 Y 的样本，$c_i=\{1,2,\cdots,k\}$是第 i 对数据的类别标号，目的是学习得到两个线性变换，分别用 $M \in R^{d \cdot d_x}$和 $M \in R^{d \cdot d_y}$来表示，分别将 X 和 Y 空间映射到同一空间。该 d 维空间使得跨模态数据的距离满足假设多层级语义关联，样本距离定义为

$$D(x_i, y_i) = (Mx_i - Ny_i)^{\mathrm{T}}(Mx_i - Ny_i) \tag{6-12}$$

期望跨模态下语义不同，语义相近的样本距离要大于语义相同的样本之间距离，在此将样本相对距离 $\Delta(x_i, y_i)$ 记为边界，为使得训练数据满足距离的约束条件，需引入松弛项，则松弛的约束可以表示为

$$D(x_i, y_j) - \mathrm{D}(x_i, y_i) \geqslant \Delta(x_i, y_i) - \varepsilon_{ij}, \varepsilon_{ij} \geqslant 0 \tag{6-13}$$

式中，$\Delta(x_i, y_i)$ 由样本 x_i和 y_i间的类别关联决定。此松弛项可类比于支持向量机中的样本，预测标签与真实标签的误差损失类似。则通过最小化损失函数，求得线性变换 M 和 N：

$$M^*, N^* = \operatorname{argmin} L(M, N) \tag{6-14}$$

式中，L 函数与 $D(x_i, y_j)$ 以及 ε_{ij} 相关。

跨模态数据间的相对距离比真实具体数值更关键，因此对于决策任务而言，只需给出相关排序，因此模型只需保持跨模态数据语义关联，关注相对距离，确保模型的应用性能。由于战场信息的高噪声性，因此采用相似性度量的方法寻找恰当的核函数，以减少噪声和孤立点干扰。最后，将优化问题统一在极限学习机框架下，从分类的角度完成跨模态数据相似性度量，进行决策。

基于跨媒体迁移与信息属性的趋势决策。由于面向战场的海量非完备多媒体信息缺乏标记训练数据，拟利用弱监督迁移学习优化基于语义的跨模态数据决策问题，将多模态信息特征映射到共享语义空间得到跨媒体信息共享的低维特征表示，以实现跨媒体信息决策。

首先对异质信息进行预处理与特征提取，再利用低秩表示得到最优单模态信息表征。由于不同模态特征对多媒体实体的表征上存在差异性，特征分布不同，所以在多模态特征间进行迁移时，分类或排序方式会发生变化，即 P(Y|X1) 与 P(Y|X2) 不同。为了实现迁移，需要在不同的模态特征之间寻找共同的分布信息，即将不同的模态特征映射到一个具有相同分布的特征空间，在该空间上实现监督信息的迁移。在寻找相同分布的空间时，可以说不同模态特征的差异性非常大，简单的线性映射无法满足这个需要，因此可以利用复杂的非线性变换（例如神经网络）来寻找该空间。同时，利用无监督训练完成该任务异常困难，因为在寻找新空间时，如果没有监督信息的指导，所找到的空间很可能是任意的，无法体现目标域的监督信息结构，这样会导致迁移失败。所以利用弱监督信息来改善上述条件，会使得迁移过程更为可靠。

考虑战斗人员对特定场景的决策需求，获取相关类似战场信息困难，结合多模态信息属性与战场情景属性信息提出一个合理的假设：当战场所关注的某模态信息相似时，此模态信息语义所对应的其他模态信息则相近，或多模态信息中存在相似的子成分。基于该假设，在迁移学习框架下，首先进行相似多模态信息搜索，提取各个模态特征并进行多模态融合，在融合特征上寻找实体间的特征变换，来将融合特征映射到具有相同分布的特征空间或子空间，采用主动学习策略，将映射到共同空间的特征距离相似且属于不同模态的信息进行标注，以不断利用不确定数据加强共享特征子集。在新的空间中完成排序信息的迁移，从而得到基于跨媒体迁移与战场信息情景属性的特定场景决策。

6.4　基于 BP 神经网络的目标威胁评估整体框架设计

在对机载光电传感器目标识别、分类和运动预测的基础上，可以开展战场目标威胁态势评估技术研究，本书在对直升机和无人机协同作战态势感知需求分析的基础上，通过构建隶属函数对目标威胁指标进行提取，再通过 BP 神经网络进行信息融合的方法，得到个体目标的威胁度评估值。

采用 BP 神经网络对无人机侦察的目标进行威胁评估分析，目标是对无人机实时侦察到的多个目标的威胁度进行估计，个体目标的威胁估计通常采用主成分分析法、层次分析法、熵值赋权法、贝叶斯网络法、D-S 证据理论、云模型计算、灰色关联分析、逼近理想解法和 BP 神经网络算法等方法。本书采用了通过隶属函数对目标威胁指标进行提取，再通过 BP 神经网络进行信息融合的方法，得到个体目标的威胁度评估值，基于 BP 神经网络的目标威胁评估整体框架如图 6-3 所示。

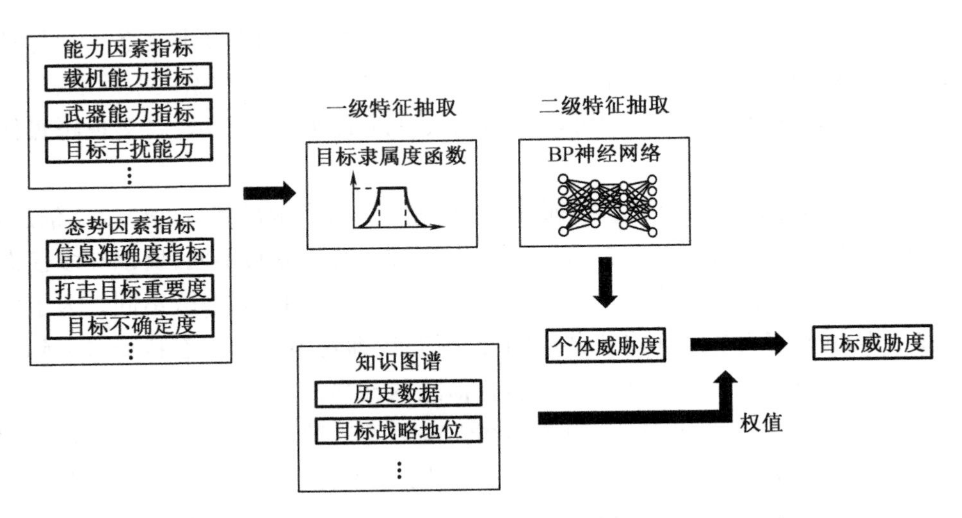

图 6-3　基于 BP 神经网络的目标威胁评估整体框架

BP 算法虽然有很高的预测精度，但是对于数据的要求很高，容易出现局部最小值，且在迭代过程中速度很慢。BP 算法的主要困难是在初始化时需要随机初始化各节点的权值和阈值，无法确定随机初始化的结果是在局部最优解附近，或者是无法确定在迭代过程中是否跳过了局部最优解。针对这一状况，项目组利用差分进化算法对 BP 算法的初始化权值和阈值进行优化。将 BP 算法的初始化权值和阈值映射为一个实数向量，将其作为差分进化算法中的个体，将 BP 算法一次正向传播过程得到的平均误差作为适应度函数对其进行学习，将经过优化之后的向量作为 BP 算法的初始权值和阈值进行 BP 算法的学习。为了降低过拟合，在神经网络训练过程中加入 Dropout 操作。

6.5　侦察目标威胁能力指标的选择

威胁估计属于多属性决策问题。从决策角度对指标进行划分，可分为成本型和效益型指标。其中前者是其值愈小，评价值愈大的指标；后者是其值愈大，评价值愈大的指标。

影响目标威胁的指标很多。显然，仅考虑单一指标无法得到合理的结果，只有综合考虑多方面指标，才能够降低单个或某些因素带来的不确定性。粗略统计，影响威胁估计的指标有 10 多种。其中有的指标对目标威胁影响相对较大，有的影响相对较小；有些是定量的数学表达，有些则是定性的语言描述；有些指标之间并无关联，有些指标之间则联系紧密。从理论角度,考虑的威胁指标越多,则信息覆盖愈全面、愈充分,结果愈真实。但把10多个指标全部考虑在内是不现实的,因为考虑因素过多,容易产生组合爆炸,加大信息处理的复杂程度,掩盖主要因素的作用。实际作战中,有很多影响因素往往都无法预知。因此,有必要对各指标进行比较分析,抓住问题的主要矛盾,忽略掉一些不重要的、冗余因素,筛选适当数量、相互之间联系不紧密的主要因素作为威胁估计指标,构建威胁估计框架。因此,个体目标的威胁度计算一般考虑目标的能力因素指标和态势因素指标两个方面。

6.5.1　能力因素指标

目标类型的威胁程度由其作战能力、隐身能力、机动能力和雷达探测能力决定。其中作战能力与其携带的武器类型和载弹量有关。隐身能力分为反雷性能、反红外性能和反光电隐身性能三类。机动能力又可分为稳定运动性能和机动运动性能,其中稳定运动性能由最大平飞马赫数、巡航速度和升限决定,而机动运动性能由最大允许过载、最大稳定盘旋过载、最大单位重力剩余功率和过失速机动可用最大迎角决定。雷达探测能力与最远探测距离、扫描总方向角、相同情形下追踪目标数量和进行进攻目标数量相关。由此可知,影响目标类型的参数非常多,而要想完全确知这些参数的信息几乎是不可能的,在争分夺秒的作战过程中,也不允许把过多的时间耗费在获取、分析这些参数上。为解决这个问题,可以利用模糊理论方法直接对其进行量化。

6.5.2　态势因素指标

态势因素指标包括目标速度、航路捷径、目标高度、目标航向角、目标类型及目标干扰能力。

根据指标属性进行划分,目标类型、目标干扰能力属于定性指标,而运动速度、航路捷径、目标高度、目标航向角属于定量指标;按照属性的具体含义分类,目标速度、目标类型和目标干扰能力为效益型指标,而航路捷径、目标高度和目标航向角则属于成本型指标。

上述指标或为定性指标或为定量指标,均对目标威胁程度有着决定性的作用,这些指标的量纲并不相同,对威胁程度的影响情况也不相同,故需要对数据进行预处理。如图6－4所示为目标威胁估计模型。

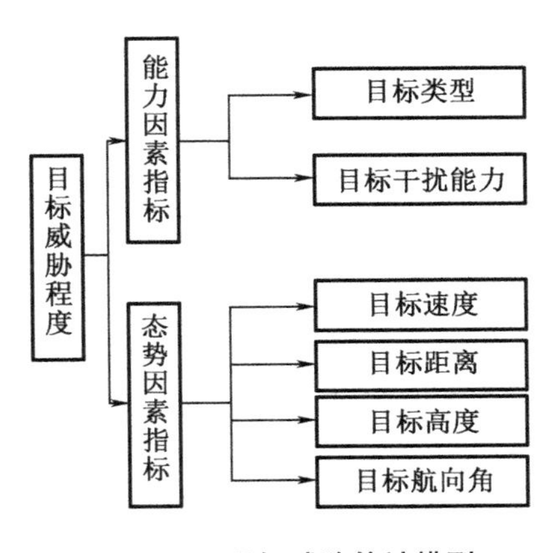

图6－4　目标威胁估计模型

6.6 目标隶属函数的构建

目标威胁程度由各威胁指标共同决定,这些指标具有不同的量纲和数量级。不同指标对目标威胁程度的影响也不一样,比如相同条件下,目标速度变慢,威胁程度随之减小;而航向角减小,威胁程度随之增加,很难给出一个关于威胁程度与各威胁指标的确定函数关系表达式。

威胁程度的“大”与“小”是模糊的、相对的,某种意义上其“大”与“小”没有具体的界限;甚至一些威胁指标本身就是模糊的,比如电子对抗能力的“强”与“弱”,因此本书运用模糊理论解决该问题。模糊理论中,$[0,X]$区间内的某个数值表示论域中的元素隶属于该论域中的某个模糊集合的程度,如“0”表示该元素完全不隶属于该集合,“X”表示该元素完全隶属于该集合。假设在给定论域U上存在一个模糊集合T,对任意元素$u \in U$,都存在一个数$T(u)$,使得$0 \leqslant T(u) \leqslant X$,则称$T(u)$为$u$对模糊集$T$的隶属函数。隶属函数刻画了论域中元素从不隶属过渡到隶属这一过程。一个模糊集合可全部由其隶属函数来描述,或者说模糊集合T与隶属度函数$T(u)$等价。

结合国内外多位专家人员的经验知识,下面给出各威胁指标的隶属函数。

6.6.1 目标类型

目标类型不同,其机动性能、隐身性能、攻击形式及携带武器装备的性能等都存在差异,对地空导弹武器装备所组成的系统和防御要地的威胁也有大小之分。目标类型可分为小目标、大目标及武装机。小目标一般为导弹类目标,具有高度灵活、杀伤力大的特点,威胁最大;武装机运动速度小,杀伤力相对较小,威胁最小;大目标包括歼击机、轰炸机等,其机动性能和杀伤力均介于小目标和武装机之间。威胁值按小目标、大目标及武装机,分别量化为0.8,0.5,0.3,威胁值依次减小。

表6-2 不同目标的威胁值

目标类型	威胁值
小目标	0.8
大目标	0.5
武装机	0.3

6.6.2 运动速度

目标的运动速度不同,其威胁值也不同。通常,运动速度越大,越有可能摆脱我机的拦截或追击,突破防御的可能性就越高;而且运动速度直接关系到空空导弹对目标的打击效果,运动速度越大,防空武器系统对目标的跟踪制导的稳定性和精确性越低,导弹的杀伤概

率越低,打击效果越差。运动速度的隶属函数为

$$r(v)=1-\mathrm{e}^{k_1|v|} \tag{6-15}$$

式中　v——目标速度,为与雷达有关的系数。

6.6.3　航路捷径

航路捷径定义为,目标所在位置与在我方防御中心或者防空指挥中心的雷达所处位置连线的水平投影,取决于目标方位与航向。航路捷径越小,攻击意图越明显,威胁越大;反之,威胁越小。其隶属函数为

$$r(p)=\mathrm{e}^{k_2(p-a_2)^2},\ -30\leqslant p\leqslant 30 \tag{6-16}$$

式中　p——目标航向,为敌方与我方位置的方向角,为雷达有关的系数。

6.6.4　电子对抗能力

电子对抗能力是通过敌我双方的电磁交汇,来钳制、减弱敌方电子设备性能乃至最大程度毁坏敌方电子设备,同时确保己方设备性能得到稳定高效发挥的各种电子措施和手段。在现代战争中,电子对抗能力承担着至关重要的角色,目标的电子对抗能力越强,对我方防空系统电子设备的危害越大,越难对其实施打击拦截,其威胁越大。电子对抗手段主要有:告警系统、雷达警戒、红外导弹和电磁波积极干扰强制摧毁手段等。电子对抗能力可划分为大、中、弱、无四个等级,相应威胁值依次为 0.8,0.6,0.4,0.2。

表 6-3　不同的电子对抗能力所对应的威胁值

电子对抗能力	威胁值
大	0.8
中	0.6
小	0.4
无	0.2

6.6.5　距离威胁

距离威胁的计算公式如下:

$$T_r=\begin{cases}0,r<R_d\\0.5,r\leqslant\min\ (R_m,R_d)\\0.5-2\left(\dfrac{r-R_m}{R_a-R_m}\right)\\1,R_m<r<R_a\\0.8,\max(R_m,R_a)<r<R_d\end{cases} \tag{6-17}$$

式中 r——敌我距离；

R_a——我方的武器攻击距离；

R_m——敌方的武器攻击距离；

R_d——敌方的探测距离。

6.6.6 速度威胁

速度威胁的计算公式如下：

$$T_v = 0.5 + \frac{V_m - V_a}{\max(V_m, V_a)} \tag{6-18}$$

式中 T_v——敌方相对我方的速度威胁；

v_m——敌方目标的速度大小；

v_a——我方的速度大小。

6.6.7 角度威胁

$$T_a = 0.5 - \frac{q - V_a}{\max(V_m, V_a)} \tag{6-19}$$

式中 T_a——敌方对我方的相对角度威胁；

q——敌机的目标前向攻击角；

θ——我方目标的前向攻击角。

6.6.8 雷达探测威胁

$$T_{dr} = \begin{cases} k_3 \dfrac{1}{d^4}, d_{\min} \leqslant d \leqslant d_{\max} \\ 0, d > d_{\max}, d < d_{\min} \end{cases} \tag{6-20}$$

式中 $d_{\min}$——防空雷达探测近界；

$d_{\max}$——防空雷达探测远界；

k——与雷达类型有关的系数。

6.7 基于改进 BP 神经网络的威胁态势评估算法

直升机和无人机协同作战过程中，目标威胁估计是一个复杂且困难的任务，这是因为目标威胁与各要素之间存在复杂的关系而不是简单的线性叠加，采用传统的方法难以实现该问题建模，而智能计算方法可以很好地解决这个问题。智能计算方法通过模拟自然界的生物行为对复杂问题进行求解，随着计算机科学技术的发展及对自然规律的深入研究得到了快速发展。在多种智能计算方法中，误差反向传播(BP)神经网络因其良好的联系记忆和非线性映射能力在预测、组合优化等领域得到广泛应用，本书采用 BP 神经网络对目标威胁进行评估分析。

6.7.1　网络模型

BP 神经网络算法是由 Rumelhart 等学者提出的一种人工神经网络(ANN)方法。ANN 是模仿、借鉴人脑神经网络功能及其行为而提出的一种信息处理体系,由多个人工神经元有层次、有组织地相互连接而成。

1. 人工神经元模型

ANN 中,神经元也被称为“节点”或“处理单元”。神经元模型对神经元的功能及结构进行抽象总结,并做了一些简化,提出以下假定。

(1)每个神经元是信息处理的基本单元。

(2)神经元有多个输入,仅有一个输出。

(3)神经元具有空间整合特性。

(4)神经元的输入输出关系可用某种函数表示,该函数称为激活函数或传递函数。上述假定描述了神经元的特点,且形式便于表达,具体模型如图 6-5 所示。

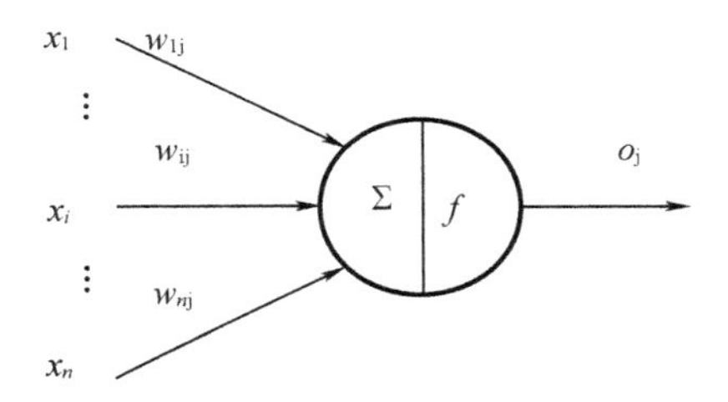

图 6-5　人工神经元模型

图中,o_j表示神经元 j 的输出信息;x_i表示输入信息;w_{ij}表示神经元 i、j 之间的连接系数,或称为权值系数;f 为神经元传递函数。根据实际问题的差异,其他模型还会考虑神经元的阈值、突触时延等特性。t 时刻神经元 j 状态的数学表达式为

$$o_j(t) = f\left[\sum_{i=1}^{n} w_{ij}x_i(t)\right] \tag{6-21}$$

式中,传递函数f形式多种多样,其不同类型体现了神经元不同的信息处理特性,分为线性和非线性两类,较为常用的是 Sigmoid 函数曲线(简称 S 型函数)。单极性 S 型函数将变量映射到[0,1]范围内,其表达式为

$$f(x) = \frac{1}{1 + e^{-x}} \tag{6-22}$$

$f(x)$具有连续、可导的特点,且有

$$f'(x) = f(x)[1 - f(x)] \tag{6-23}$$

单极性 S 型函数函数自身及其导数都是连续的,十分便于处理。

2. 人工神经网络模型

ANN 的强大功能与其结构模型息息相关。网络结构的类型各不相同,按功能把网络分

为:输入层、隐藏层(中间层)和输出层。神经元分层排列,各层顺序相接,输入层接收输入信息,传递给隐藏层;隐藏层负责信息处理,可根据需要设计为一层或多层;最后经过输出层向外界输出。最常用的是单隐藏层网络,结构如图 6-6 所示。

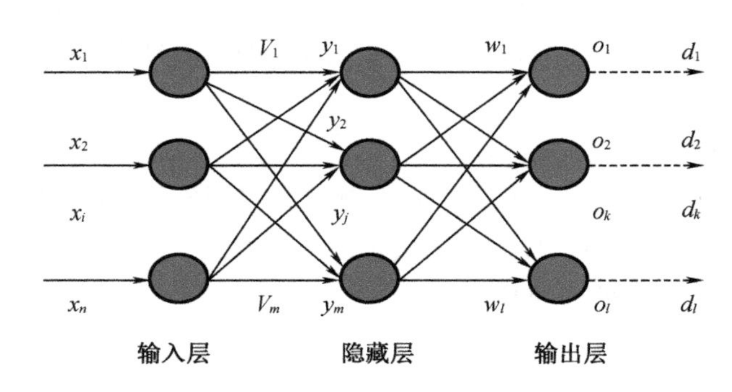

图 6-6　网络隐藏层

3. 人工神经网络的学习

ANN 的学习过程又称为训练过程。样本输入神经网络后,往往不可能马上得到理想的输出,需要对网络进行调整。在一定准则的指导下,通过不断调整修正网络权值获得理想输出的过程就叫学习。学习的本质就是调整权值的过程,其目的是获取隐含在样本中的规律。按照学习过程中有无监督,可将学习方法分为无监督学习和有监督学习。

无监督学习,在学习过程中,没有监督的指导,需要不断输入信息,只有知识储备足够充分,才能发现样本中的规律。对于有监督学习,每次学习都有“监督信号”(理想输出),如果网络输出与理想输出不符,则计算网络输出与理想输出的误差,并以此误差依据,进行权值调整,直到满足精度要求,至此,认为网络在监督的指导下学会了隐藏在训练数据中规律。

对于有监督学习和无监督学习,网络运行分为训练过程和工作过程,训练的目的是提取数据中隐藏的知识或规律。有监督学习中,提供给网络的指导信息越多,网络学会的知识越多,解决问题的能力越强。当网络缺乏解决问题的先验信息时,无监督学习更具实际意义。

6.7.2　算法推导

BP 神经网络是应用最广泛的 ANN 网络,其基本思想为,学习分为两个阶段:①信号正向传播;②误差反向传播。正向传播时,信息从前往后传递,信息从输入层传入,经过隐藏层,最后由输出层向外界输出;若网络输出与期望输出不符,则进入误差反向传播,此时信息传播从输出层输入,由输入层输出,传递过程中把误差信息分摊给各节点,并修正网络权值,周而复始进行这两个过程,直到满足目标精度为止。

BP 神经网络是多层前馈网络,采用后向传播(BP)算法,下面以单隐藏层网络结构对 BP 神经网络进行算法推导。对于输出层神经元,有

$$o_{jk}=f(net_k),\quad k=1,2,\cdots,l \tag{6-24}$$

$$net_k = \sum_{i=0}^{m} w_{jk} y_j, \quad k = 1,2,\cdots,l \tag{6-25}$$

对于隐藏层神经元,有

$$y_j = f(net_j), \quad j = 1,2,\cdots,m \tag{6-26}$$

$$net_j = \sum_{i=0}^{m} v_{ij} x_i, \quad j = 1,2,\cdots,m \tag{6-27}$$

当网络输出与期望输出不符时,计算输出误差 E,表达式为

$$E = \frac{1}{2}(d - o)^2 = \frac{1}{2}\sum_{k=1}^{l}(d_k - o_k)^2 \tag{6-28}$$

为了减小误差,应该按误差的梯度降方向调整权值,定义各层权值调整量为

$$\Delta w_{jk} = -\eta \frac{\partial E}{\partial w_{jk}}, \quad j = 1,2,\cdots,m; k = 1,2,\cdots,l \tag{6-29}$$

$$\Delta v_{ik} = -\eta \frac{\partial E}{\partial v_{jk}}, \quad i = 1,2,\cdots,n; k = 1,2,\cdots,m \tag{6-30}$$

式中,负号表示梯度降方向,表示 BP 神经网络是基于误差的梯度下降算法。$\eta \in [1,0]$,在学习过程中的作用是调整学习速率。

标准 BP 神经网络算法中,学习率取[0,1]之间的某个常数,该方法固然简单,但也会带来一些问题。若网络太小,则需多次训练才能达到训练精度;网络太大,则容易出现网络振荡,同样会增加训练次数。采用自适应学习率,可随实际情况变化,在误差曲面平坦区采用较大值,而在曲面陡峭区采用较小值,可以加快收敛过程。

标准 BP 神经网络算法在实际应用中存在易发生振荡、收敛速度慢的缺点,原因是只根据当前时刻误差进行权值调整,未考虑历史误差。研究学者提出有动量项的权值调整式,其表达式为

$$\Delta W(t) = \eta \delta X + \alpha \Delta W(t-1) \tag{6-31}$$

式中,α 称为动量系数,可见,动量项与历史权值相关,会牵制当前时刻权值的调整。当误差曲面发生强烈振荡时,动量项会发挥阻尼作用,减小振荡趋势,提高网络收敛速度。

机器学习有一个非常大的缺点,就是容易导致过拟合。为避免过拟合,现阶段较为有效的方式有四种。第一种就是提前终止训练,即当数据在验证集上表现变差之后停止训练;第二种是改进 GBDT 算法使用过的 L2 正则化加权;第三种是第三章介绍过的集成学习思想,集成方法是一个避免过拟合的好办法,训练多个模型进行组合,但是,这么做会增加学习的时间;第四种是加上 Dropout 操作。对于神经网络来说,Dropout 是一个非常好的降低过拟合概率的措施。Dropout 是指在神经网络训练过程当中以一定的概率暂时抛弃部分神经元的操作。图 6-7 为 Dropowt 示意图。

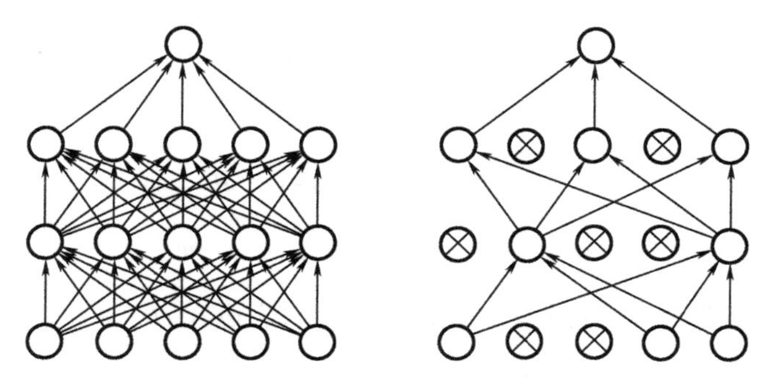

图 6-7 Dropout 示意图

每次 Dropout 操作,相当于从完整的神经网络中找到了一个更小的神经网络,对于 N 个结点的神经网络来说,加入 Dropout 相当于将其变为 $2N$ 个模型的集合,每次集合中挑选出一个模型作为当前训练模型,相对于集成学习来说减少了训练大量模型的时间。基于以上理论,当 Dropout 率为 0.5 的时候效果最好,因为此时随机生成的网络结构最多。故本模型每个节点被随机抛弃的概率为 0.5。

6.7.3 功能特点

1. BP 神经网络的基本特点

下面分别从 BP 神经网络的结构、性能和特征这 3 个方面分析该算法的特点。

(1)结构特点:具有信息处理的并行性、信息存储的分布性。其信息处理的并行性分为时间和空间并行性。神经网络是大量神经元连接而成的高度并行的非线性系统,因而具有空间并行性;空间并行性决定了信息存储的分布性,即信息的存储分布在网络各连接权中,不是集中存储在网络某个部分。

(2)性能特点:容错性。BP 神经网络信息存储的分布性使网络呈现出良好的容错性。这是因为信息存储的分布性,使部分神经元的损坏不会影响系统的整体性能。

(3)能力特征:自适应性。BP 神经网络的自适应性指外界环境变化时,神经网络能自动调整网络权值,以达到目标函数要求。

2. BP 神经网络的基本功能

BP 神经网络是智能信息处理系统,因而也具有智能系统的某些功能。

(1)联想记忆。神经网络的记忆通过网络的连接权值及其拓扑结构表现,其分布式存储使得网络在外界刺激下能恢复记忆的信息,进行联想记忆。

(2)非线性映射。模拟客观世界时,很难用传统方法映射系统的复杂关系。设计合理的网络学习系统输入、输出关系,能以任意精度逼近复杂的非线性映射,这一性能使其应用于多个领域。

(3)优化计算。用神经网络求解优化问题时,问题的可变参数作为网络状态,问题的目标函数为网络能量函数,当网络达到稳定状态时,能量函数最小,此时网络状态即为问题的最优解。

6.7.4 基于差分进化算法优化的 BP 神经网络算法

BP 算法虽然有很高的预测精度，但是对于数据的要求很高，容易陷入局部最小值，且在迭代过程中速度很慢。主要困难在于 BP 算法在初始化时需要随机初始化各节点的权值和阈值，无法确定随机初始化的结果是在局部最优解附近，或者是无法确定在迭代过程中是否跳过了局部最优解。针对这一状况，本书利用差分进化算法对 BP 算法的初始化权值和阈值进行优化，将 BP 算法的初始化权值和阈值映射为一个实数向量，将其作为差分进化算法中的个体，将 BP 算法一次正向传播过程得到的平均误差作为适应度函数对其进行学习，将经过优化之后的向量作为 BP 算法的初始权值和阈值进行 BP 算法的学习。为了降低过拟合，在神经网络训练过程中加入 Dropout 操作，如图 6－8 所示。

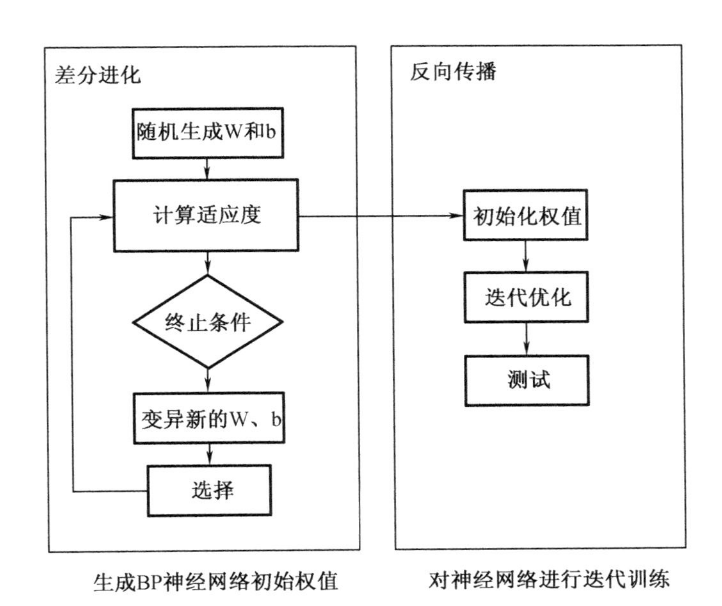

图 6－8 差分进化算法优化 BP 神经网络

基于 BP 神经网络的特性，本次试验 BP 神经网络架构选择一个输入层、两个隐藏层、一个输出层的结构进行模型的建立。

如图 6－9 所示，整个算法具体流程如下。

1. 初始化种群及参数

首先在解空间中随机初始化神经网络权值和偏移项，按照公式将其映射为实数向量作为种群的单个个体。

$$R = \{W_1, \theta_1, W_2, \theta_2, W_3, \theta_3\} \tag{6-32}$$

式中 W_1——输入层与隐藏层第一层之间神经元的权值；

θ_1——该两层之间的阈值；

W_2和θ_2——为隐藏层第一层和第二层之间神经元的权值和阈值；

W_3和θ_3——隐藏层第二层与输出层之间神经元的权值和阈值。

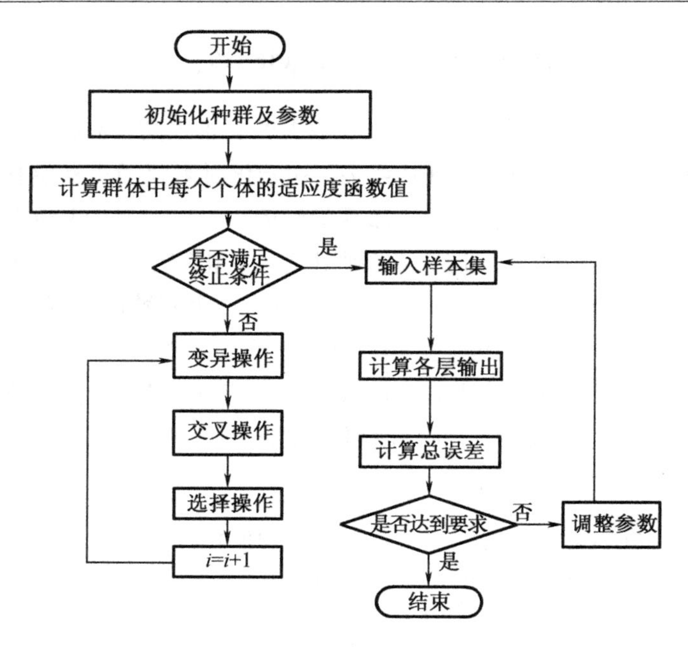

图 6-9　BP 神经网络算法流程图

2. 计算适应度函数值

将个体映射为 BP 神经网络中各个结点的权值和阈值,然后将前向传播结束之后得到的误差值作为该个体的适应度函数值,在某种程度上适应度函数与神经网络的代价函数相同。

3. 如果适应度函数值不满足条件,则进行变异、交叉、选择操作,回到第 2 步。如果满足,则进入第 4 步。

4. 获取到最优初始参数

将当前最优个体映射为 BP 神经网络的初始参数值,并开始 BP 算法,直至达到 BP 算法的终止条件,得到最好的参数值,完成模型的训练。

其中,变异、交叉、选择的操作是差分进化算法的核心。遗传算法是根据适应度值来控制父代杂交,计算变异后产生的子代被选择的概率值,在最大化问题中适应值大的个体被选择的概率相应也会大一些。差分进化算法是由父代差分向量生成,并与父代个体向量交叉生成新个体向量,直接与其父代个体进行选择。

(1)变异操作

在第 g 次迭代中,从种群中随机选择 3 个个体 $X_{p1}(g)$,$X_{p2}(g)$,$X_{p3}(g)$,并且所选择的个体不一样,那么这三个个体生成的变异向量为

$$H_i(g)=X_{p1}(g)+F\cdot[X_{p3}(g)-X_{p3}(g)] \tag{6-33}$$

式中　$\Delta_{p2,p3}(g)$——一个差分向量,$\Delta_{p2,p3}(g)=X_{p2}(g)-X_{p3}(g)$;

F——缩放因子。

对于缩放因子 F 来说,一般在[0,2]之间进行选择,通常情况下取 0.5。

在这里说一下参数 F 的自适应调整:

将变异算子中随机选择的 3 个个体进行从优到劣进行排序，得到X_b、X_m、X_w，他们对应的适应度是f_b、f_m、f_w，变异算子改为

$$V_l = X_b + F_i(X_m - X_w) \tag{6-34}$$

同时，F 的取值根据生成差分向量的两个个体自适应变化而变化，其中

$$F_l = 0.1, F_u = 0.9 \tag{6-35}$$

$$F_i = F_l + (F_u - F_l)\frac{f_m - f_b}{f_w - f_b} \tag{6-36}$$

一部分变异策略为

$$\text{DE/rand/1}: V_i(g) = X_{p1}(g) + F \cdot [X_{p2}(g) - X_{p3}(g)] \tag{6-37}$$

$$\text{DE/best/1}: V_i(g) = X_{best}(g) + F \cdot [X_{p1}(g) - X_{p2}(g)] \tag{6-38}$$

$$\text{DE/currenttpbest/1}: V_i(g) = X_i(g) + F \cdot [X_{best}(g) - X_i(g)] + F \cdot [X_{p1}(g) - X_{p2}(g)] \tag{6-39}$$

$$\text{DE/best/2}: V_i(g) = X_{best}(g) + F \cdot [X_{p1}(g) - X_{p2}(g)] + F \cdot [X_{p3}(g) - X_{p4}(g)] \tag{6-40}$$

$$\text{DE/best/2}: V_i(g) = X_{p1}(g) + F \cdot [X_{p2}(g) - X_{p3}(g)] + F \cdot [X_{p4}(g) - X_{p5}(g)] \tag{6-41}$$

（2）交叉操作

$$V_{i,j} = \begin{cases} h(g), \text{rand}(0,1) < c_r \\ x_{i,j}(g), \text{else} \end{cases} \tag{6-42}$$

式中　c_r——交叉概率，$c_r \in [0,1]$。

（3）选择操作

$$x_i(g+1) = \begin{cases} V_i(g), f[V_i(g)] < f[x_i(g)] \\ x_j(g), \text{else} \end{cases} \tag{6-43}$$

对于每一个个体来说，得到的解要好于或者与个体持平。通过变异、交叉、选择，达到全部最优。

第7章　直升机和无人机协同态势感知可视化系统设计及实现

在完成无人机机载目标识别、战场目标威胁度评估的基础上，应在对平台开发复杂度、可视化以及人机交互性能进行综合权衡后，完成直升机和无人机协同态势感知可视化系统的设计开发，以及对直升机和无人机关键节点综合安全态势的可视化监测和战场多源信息的融合显示，根据威胁目标信息为指挥员决策研判提供全面、客观的数据支持和依据，有效提升对潜在威胁、未知威胁的预判和主动防御能力。态势显示模块通过构建作战仿真模型和数字化战场环境，以实现对直升机和无人机协同作战过程的可视化展示，通过二/三维展现形式的联动，显示战场综合态势信息，包括作战力量、战场环境、作战对象、指挥控制、作战行动及不可见的信息交互过程（例如控制指令、数据、雷达等探测器的探测过程等），通过调用各种武器、传感器、环境等逼真的模型，多层次、多维度、多粒度、多手段地展现战场综合态势。

7.1　直升机和无人机协同态势感知可视化系统总体设计

7.1.1　系统总体设计方案

以直升机和无人机协同作战为典型应用场景，开发直升机和无人机协同态势感知可视化应用软件。为使直升机及时有效地获取无人机的侦察信息，准确及时地反映作战态势，本书梳理出直升机和无人机协同态势可视化系统应具备以下特点。

（1）具备战场环境可视化功能：战场环境系统是对陆地、海洋、空天等测绘数据的可视化，系统应能提供对战场环境数据的完整描述，使指挥员可以从不同的纬度，多种分辨率、比例尺对战场地理环境进行观察，得出自身对战场整体环境的判断。

（2）战场目标实体建模功能：应具备战场目标三维实体建模和运动模型建模功能，提供战场实体目标随时间的变化轨迹。

（3）战场数据分析、融合功能：协同作战中由于不同机载传感器获取的信息之间的关系较为复杂，难以综合分析，海量数据信息中存在着大量重复、不完备甚至冲突的数据，这些同构、异构空间的数据应通过数据分析和融合表达为同一个战场态势描述，并从大量的具有时间属性的战场态势数据中发现一些固定关系的时间序列数据，使指挥官通过某一事件的发生来预测下一步的事件。

考虑到本书的研究内容主要集中在对无人机机载光电图像进行数据分析，项目所开发的直升机和无人机协同态势感知可视化系统的数据分析和信息融合功能主要体现在对无人机机载光电图像信息目标的检测、识别、运动信息提取、威胁度评估等方面。可视化系统应具有能实时显示无人机所侦察到的目标类别及其具体位置，并能够给出关于图像场景中目标信息的文字性描述，以及根据感知结果，对研究人员设定的兴趣目标进行标注的能力。直升机和无人机协同态势感知可视化系统功能如图 7－1 所示。

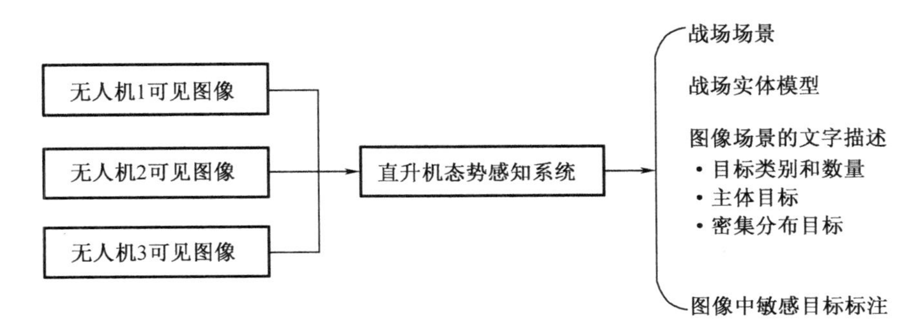

图 7－1　直升机和无人机协同态势感知可视化系统功能示意图

为实现上述功能，直升机和无人机协同态势感知可视化系统总体框架如图 7－2 所示。系统主要由战场场景数据库生成、战场目标生成与规划、无人机机载光电图像识别与定位、目标威胁态势评估和可视化展示 5 个模块组成。

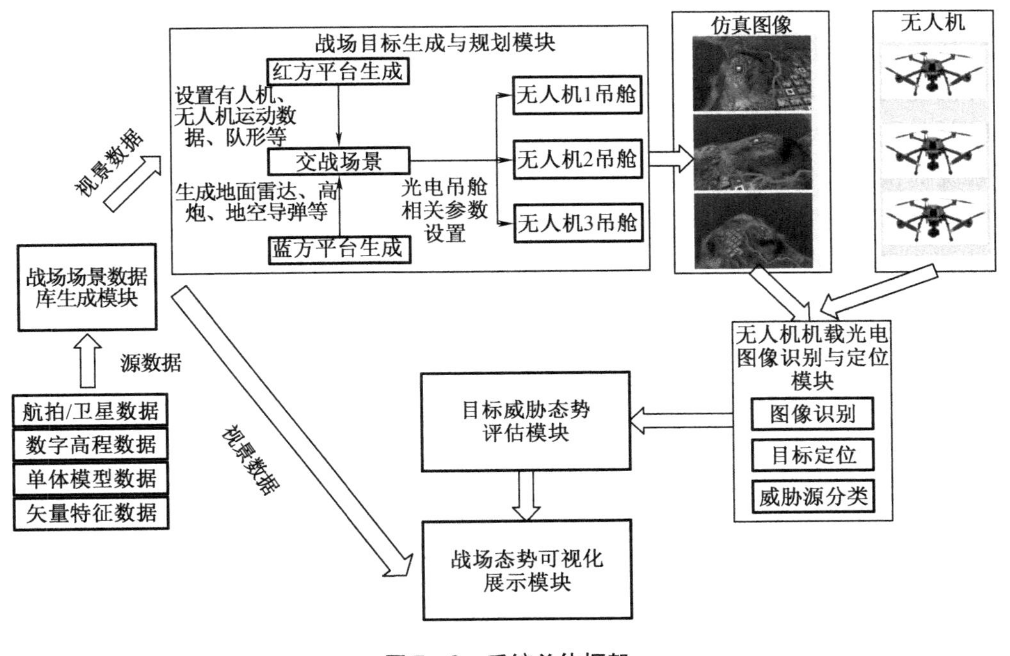

图 7－2　系统总体框架

各个模块的功能具体如下。

1. 战场场景数据库生成模块

该模块包括场景建模和目标建模2个部分。主要通过典型场景建模和实时渲染技术实现对典型地形、地景的建模,为可视化系统提供场景加载的地形数据。在目标建模模块使用三维建模技术完成固定翼飞机、旋翼类、地面实体、导弹和建筑物模型等典型战场目标模型构建,并具备按照物理特征(长宽高等)、动态特征(速度、加速度等)以及所携带的传感器、武器、通信等装置对目标进行参数设置等功能。

2. 战场目标生成与规划模块

目标生成与规划模块依据客户典型任务场景进行目标模型建模、场景建模,基于典型任务场景进行兵力生成及任务规划,完成直升机和无人机协同训练,通过规划无人机飞行计划和探测功能,模拟光电吊舱视频数据输出功能,并将吊舱数据发送给直升机。

3. 无人机机载光电图像识别与定位模块

该模块集成有基于改进卡尔曼滤波的双阈注意力和通道损失的轻量化小样本目标检测算法和三目视觉目标定位方法,可实现对战场中多目标的检测、识别和定位功能。此外,为有效验证识别算法性能,无人机载光电图像识别与定位模块可用通过仿真视景图像和无人机实时视频两种方式获取带识别的数据源,其中仿真视景图像采用共享内存形式实现,无人机采集图像采用 RSTP 流进行图传。

4. 目标威胁态势评估模块

该模块主要负责完成对接收到的目标信息进行威胁值计算、威胁排序、威胁等级计算等功能。

5. 战场态势可视化展示模块

可视化展示模块将生成的目标信息实时显示在态势软件中,供直升机操作员查看、分析、使用等。

系统提供两种信息获取方案,第一种是依靠战场目标生成与规划系统,首先通过地形处理软件采用航拍卫星数据、数字高程数据、单体模型数据及矢量特征数据构建场景数据库,目标生成及规划软件生成交战场景,同时通过对红方直升机和无人机进行路径规划和探测规划,生成红方执行计划。蓝方目标模拟坦克、相控阵雷达、高炮、防空导弹、军用车辆等威胁目标,然后通过设置无人机侦察路线、光电吊舱等参数,实现无人机平台光电吊舱画面输出。第二种是系统具备和真实无人机机载光电系统进行交接的能力,能够实时获取无人机的视频图像数据。

系统处理流程如下:识别与定位模块通过采集三个吊舱视频或无人机光电吊舱信息作为输入源,使用基于改进卡尔曼滤波的双阈注意力和通道损失的轻量化小样本检测算法进行多目标检测、识别和定位;识别与定位软件将识别到的目标特性数据,发送给威胁目标评估软件进行目标威胁估计、威胁源类型分类及威胁排序等评估功能。最后由战场态势可视化展示模块完成战场场景、实体以及态势生成和威胁展示。

7.1.2 系统组成

直升机和无人机协同态势感知可视化系统由场景数据库、目标生成与规划软件、识别与定位软件、目标威胁评估软件和可视化展示软件组成。

其中目标生成与规划软件采用神州 SinoStarsCGF 兵力生成软件进行定制化开发,实现对交战场景目标生成和任务规划控制。可视化展示软件采用 VantView 可视化软件定制化开发,实现威胁目标态势可视化。系统组成如图 7-3 所示。

目标生成与规划软件需要运行在高性能图形工作站上,对红方与蓝方兵力进行数据推演,同时实现 3 架无人机平台进行吊舱视频输出。

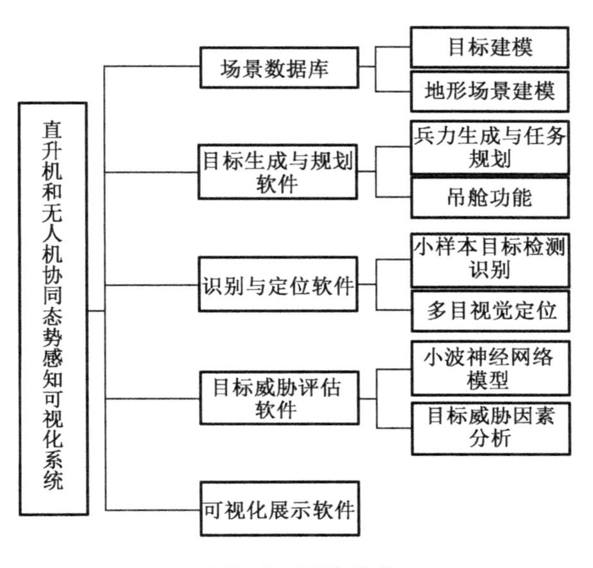

图 7-3　系统组成

小样本目标分类检测与识别软件、目标威胁态势评估软件和可视化展示软件运行在 1 台高性能图形工作站上,实现对探测区域图形中的目标进行图像分析与定位、威胁分析、态势估计、二/三维态势可视化、威胁图展示等功能。在软件与硬件上进行分析,确定硬件运行环境和软件运行环境要求分别如表 7-1 和表 7-2 所示。

表 7-1　硬件运行环境

硬件运行环境要求			
序号	项	说明	备注
1	处理器	Intel I7 以上	
2	显卡	NVDIAGTX 980 以上	
3	运行内存	16 G 以上	
4	硬盘容量	100 G 以上	

表 7-2 软件运行环境

软件运行环境要求			
序号	项	说明	备注
1	兵力生成软件	神州 SinostarsCGF 软件	
2	场景数据库	以. earth 文件数据保存	
3	开发工具	VS2010	
4	代码维护工具	SVN 代码管理器	

7.1.3 系统部署设计

直升机和无人机协同态势感知可视化系统的各个软件通过以太网络进行数据交互，其中目标生成与规划软件部署在一台图形工作站上，识别与定位软件、威胁目标评估软件和可视化展示软件部署一台图形工作站上。两台图形工作站采用网线进行直连，系统部署如图 7-4 所示。计算机与软件功能对应关系如表 7-3 所示。

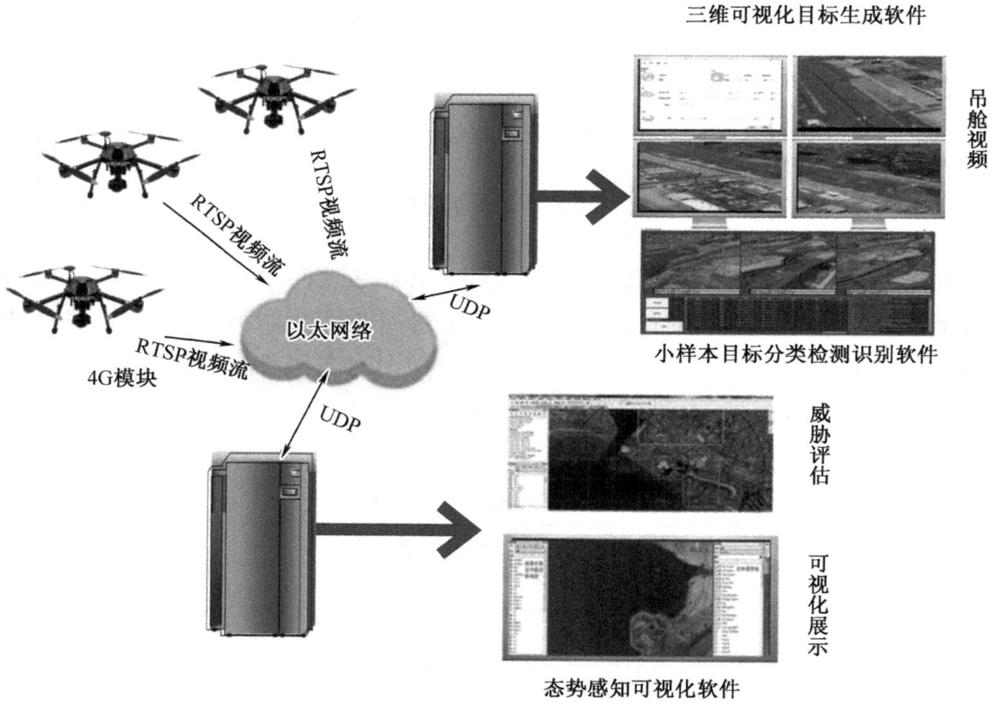

图 7-4 系统部署图

表7-3　计算机与软件功能对应关系

序号	系统模块		计算机	功能说明	备注
1	三维可视化目标生成软件		图形工作站1	兵力生成与任务规划,无人机吊舱功能	含有同一场景数据库
2	小样本目标分类检测与识别软件			目标识别与定位	
3	态势感知可视化软件	威胁态势评估模块	图形工作站2	对目标数据进行威胁评估、目标分类	
4		可视化展示模块		态势目标信息、威力图、二维/三维展示	含有同一场景数据库
5	JCV-600四旋翼无人机		设计设备	提供图传视频,其中无人机搭载4G模块,可实现三架无人机及直升机和无人机协同态势感知可视化软件的组网	甲方提供

7.2　场景数据库设计

针对直升机和无人机协同态势感知可视化系统的需求,进行典型作战场景和目标三维建模,其中典型作战场景包括山区、沙漠、典型城区和福建沿海等;目标模型涵盖了典型地面和空中目标模型。

三维环境地形数据库构建主要以卫星图片和卫星高程为原始数据,将其处理为场景环境地形数据库。数据空间范围及格式要求如下。

(1)卫星影像数据和高程数据以训练区域建模要求进行获取;

(2)大范围场景采用全局粗糙、局部细致处理的方案;

(3)局部高精度区域,和客户协商进行区域建模;

数据坐标系统与投影要求为:卫星遥感影像数据及DEM数据具有统一的坐标系统及投影方式——WGS84经纬度坐标系、经纬度投影。

数据文件格式:卫星遥感影像数据应为GeoTiff格式,高程数据应为GeoTiff格式。

场景环境数据库制作基本要求如下。

(1)采用局部细致、全局粗糙的方案;

(2)三维场景环境地形数据库以.earth文件格式进行配置。

开发、构建地形数据库如图7-5所示。

(1)采集、处理、规划基础数据:影像、地形和文化特征等数据源;

(2)创建大地形建模工作流程;

(3)运行创建好的建模流程;

(4)预览数据、检测数据的有效性;

(5)发布产品。

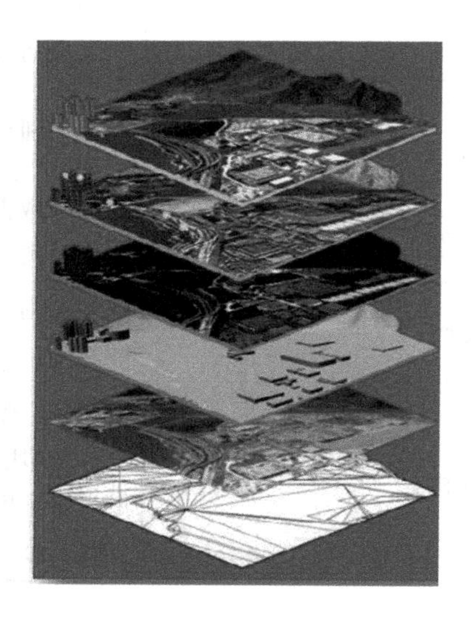

图7-5 地形数据构成

地形数据库生成过程如图7-6所示。

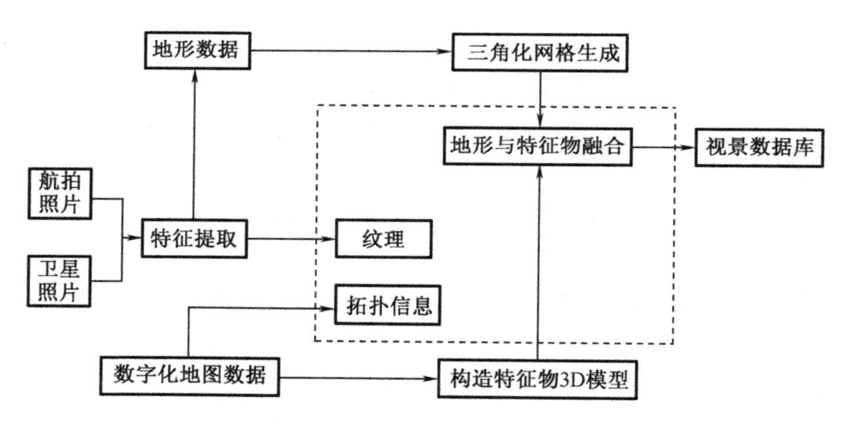

图7-6 地形数据库生成过程

首先构造出地形三维模型和制作纹理,通过地形建模软件生成三维视景地形数据库。然后在三维视景数据库的基础上加入文化特征矢量数据、光栅图像数据,最终生成二维态势地形数据库,其中包括模型设计、特征构造、纹理设计制作等。构造文化特征模型和制作光栅纹理还要考虑模型简化、空间组织、细节等级产生和纹理覆盖等方面。最后一步是二维态势地形的显示,包括场景产生、模型调动处理、模型动作加入、分布交互控制、地形处理、环境效果加入等,要求高速逼真地再现仿真环境,实时响应交互操作。

为缩短开发周期,本书使用 Presagis 公司地形建模软件 Terra Vista 进行开发。如图7-7所示为建模流图。先通过 Terra Vista 软件加载真实的高程数据和影像数据,经过配置操作添加文化数据后，选择地形使用的坐标系，通过地形 LOD 层级设置，设置地形输出格式，最后采用一键式编译功能，生成通用地形格式。支持加载的原始地形数据包括数字高程数据、卫星影像数据/航拍数据、海岸线数据、矢量文化特征数据、模型等。

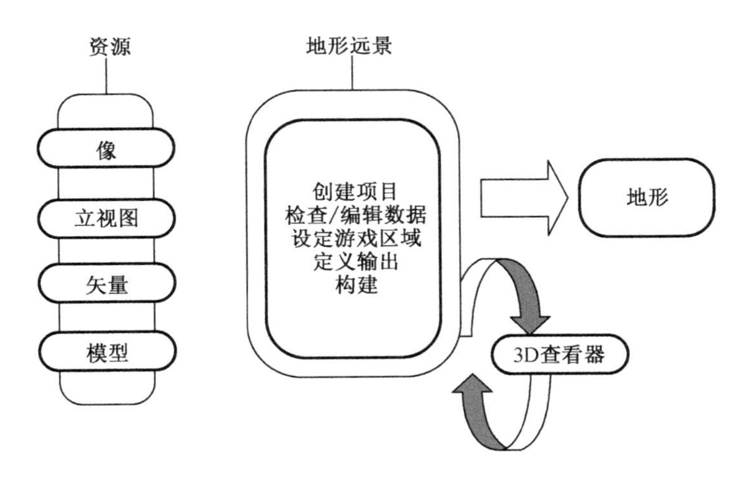

图 7－7　建模流程图

编译后的地形，可以在 3D Viewer 工具进行预览，通过鼠标或键盘实现场景漫游，验证地形生成效果，如图 7－8 所示。

图 7－8　地形预览

7.2.1　典型场景建模

为增加直升机指挥员对直升机和无人机协同态势感知能力，所开发的典型场景数据应具有以下特征。

(1)高分辨率局部地景数据库的能力。

(2)应包括自然和人文特征：树木、山脉、河流、桥梁、公路、铁路、平坦的高地、地面特征建筑物、海洋、岛屿、舰船、海岸线等。

(3)地标应有三维模型和多种细节层次,满足飞行模拟、训练的需要。

其中地形建模对地景卫片分辨率、跑道等有具体指标进行约束。

机场周边建模要求如下。

(1)机场模型:机场跑道、滑行道、标识、标牌、灯光、周边建筑物等应建立三维模型,表面纹理应采用真实照片纹理渲染,且与真实机场状况基本一致。

(2)描述要素:特定机场应描述机场跑道和滑行道、地面标志线、停机坪、机场建筑物,以及夜间跑道灯光、滑行道灯光、机上着陆灯、机场附近区域城市灯光等,与实际机场一致,光点亮度 5 级可调,光点大小可动态调整且符合实际显示效果。

为完成对无人机实时获取信息的处理、目标定位和态势感知实验,开发完成了对实地周边环境进行地形建模,地形区域大概 10 km×10 km,数据范围包括 10 km×10 km 的大范围地形和 1 km×1 km 的小范围地形。其中大范围地形采用高程卫片进行快速构建,小范围地形为精细建模。

7.2.2 典型目标建模

在目标建模模块使用三维建模技术完成固定翼飞机、旋转翼飞机、地面实体、导弹和建筑物模型等典型战场目标模型的构建,并具备按照物理特征(长、宽、高等)、动态特征(速度、加速度等)以及所携带的传感器、武器、通信等装置对目标进行参数设置等功能,如图 7-9所示。

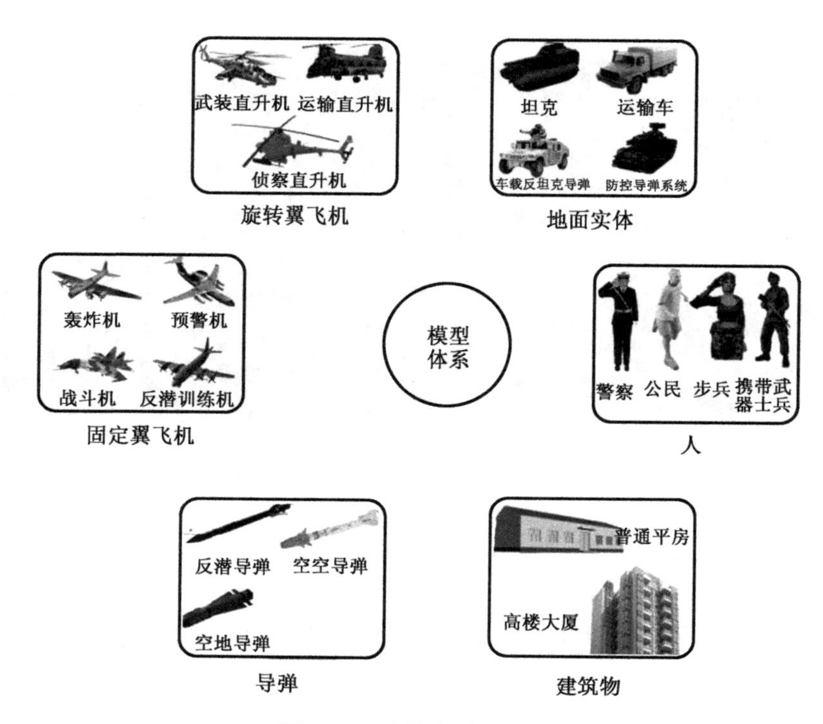

图 7-9 实体类模型类型

实体编辑器实现了一套完善的模型体系，内容涉及：固定翼飞机模型、旋转翼飞机模型、地面实体模型、导弹模型、建筑物模型等。可直接使用也可以根据业务和领域需求对该体系进行扩展和二次开发，提供组件设计和模型开发等功能，将模型设计开发出的各个实体和组件组合在一起，生成能够在仿真环境下运行的实体类模板。

实体编辑器提供专业、细致的参数建模，按照物理特征（长、宽、高等）、动态特征（速度、加速度等）以及所携带的传感器、武器、通信等装置来进行参数录入，达到了非常精细的程度，可完成各种分辨率仿真系统的要求。

7.3 目标生成与规划软件

目标生成与规划模块依据典型任务场景进行目标模型建模、场景建模，基于典型任务场景进行兵力生成及任务规划，完成直升机和无人机协同训练，通过规划无人机飞行计划和探测功能，模拟光电吊舱视频数据输出功能，并将吊舱数据发送给直升机。

虚拟场景兵力生成模块通过软件构建直升机平台、无人机平台，并通过规划控制实现无人机对指定区域的探测规划控制。目标区域内进行蓝方目标生成。

7.3.1 添加目标、实体运动和设置队形

通过实例模型列表选择要创建的目标模型，依次构建目标搜索区域、目标模型的添加。兵力部署过程包括以下几方面。

（1）在兵力模型列表中输入要创建的兵力模型。

（2）搜索到模型后，选中兵力模型。

（3）在地图区域进行拖拽以进行兵力实体创建。

（4）最后双击确认放置位置。

神州 CGF 软件可选择仿真对象添加我方/敌方动态目标类型，并在场景中添加目标三维模型，完全通过可视化图形界面来操作，直观便捷，直接从右边的仿真对象列表中选取，或者从右键菜单中选择创建→实体，完成兵力实体创建工作。以下过程为创建区域、兵力模型过程：

添加的空中、陆地、海上运动目标能够在三维场景中运动，能够模拟相应的运动学特性，从上一个路径点运动到下一个路径点，并能根据地形和场景进行相应的运动碰撞检测。兵力实体通过分配计划或规划任务，实现对仿真实体对象的控制功能。设定仿真对象运动方向，如图 7－10 所示。

在地图上设置路径点如图 7－11 所示。然后用鼠标在态势图上顺序点击所要行进的路径点，如图 7－12 所示。

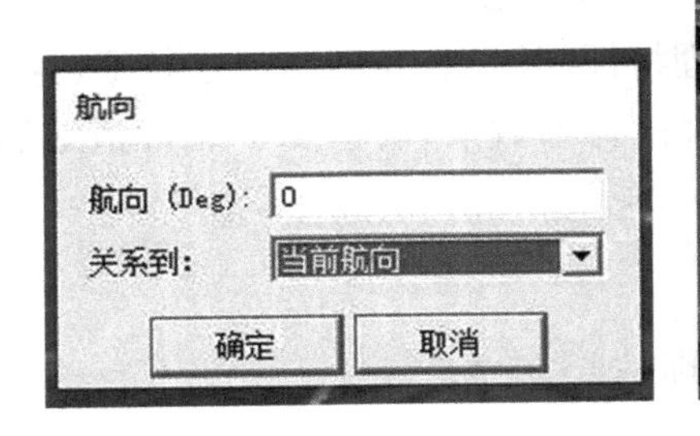

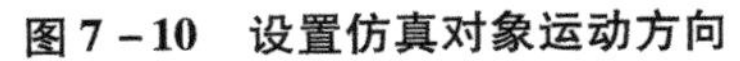
图 7－10　设置仿真对象运动方向

图 7－11　设置路径点

图 7－12　顺序点击路径点

能够设置运动目标的队形、位置、运动路径、目标队形，按照运动路径和队形进行运动，并符合其运动学特性。能够设置直升机编队飞行的队形、位置、目标队形等，运动路径只需要在想定编辑器中设置领队长机的运动任务即可，其余僚机将在仿真运行时，自动按照其飞行动力学能力跟随长机在队形位置上运动。

7.3.2　静态目标

能够添加静态目标，在协同态势感知可视化系统里，固定翼飞机可以设置降落任务，在降落任务执行完成后可以滑行到停机位停泊，直到下次执行任务开车滑出为止，所有其余类型的运动类型实体，都可以直接设置为静态保持位置、姿态的不变。

大型雷达站、楼房、桥梁、道路、加油站等，可以方便地在想定编辑器中放置在需要的地方，这些静态实体不仅仅作为地形的一部分，而且可以参与仿真运行，例如参与碰撞检测计算，在地面放置的静态路灯如图 7－13 所示。

7.3.3　设定动态目标的相关信息参数

仿真运行开始后，使用者可以选择一个实体，从右键菜单打开其属性窗口，人为干预直接设定实体的经度、纬度、高度、姿态、状态、外观等细节信息，如图 7－14 所示。

图 7 – 13　在地面放置的静态路灯

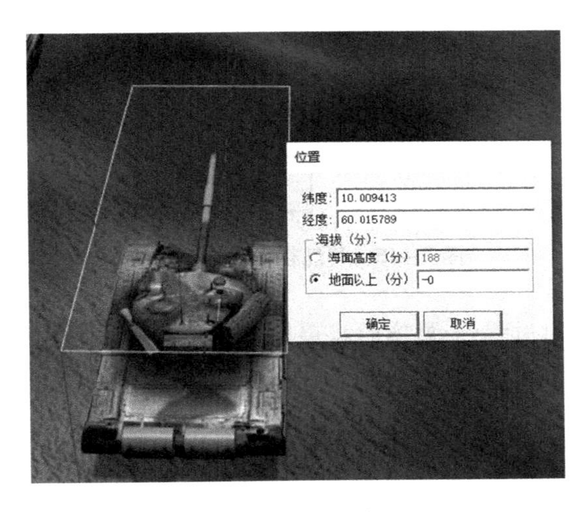

图 7 – 14　手动调节高度位置

7.3.4　无人机侦察视景生成功能

根据无人机挂载的光电吊舱性能创建传感器视图窗口，通过设置吊舱的位置和光学参数来影响吊舱视频的输出效果。在视频图像中可以增加噪声等要素，来增加图像复杂度，可通过传感器参数设置改变图像噪声、图像模糊度、明亮度等参数。

吊舱视频功能用于监视探测区域，通过模拟特定虚拟相机，生成当前相机场景画面。具备传感器光学参数设置功能，可设置的参数包括光学传感器焦距、光学系统孔径大小、F数、探测器像元尺寸、探测器等效温差、探测器分辨率、模糊、增益、噪声、明亮度、黑热/白热等。如图 7 – 15 所示为吊舱视频功能流程图。

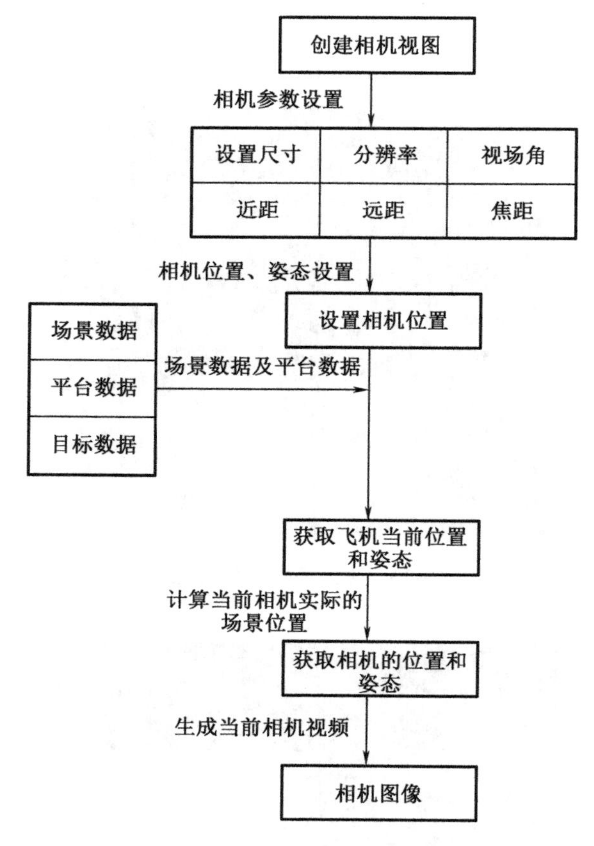

图 7－15　吊舱视频功能流程图

在完成相机视频输出过程中，要实时将摄像机的位置数据、姿态、光学参数数据同时输出到识别与定位软件，供小样本目标检测算法和多目视觉高精度定位算法模块进行目标的识别和定位计算，如图 7－16 所示。

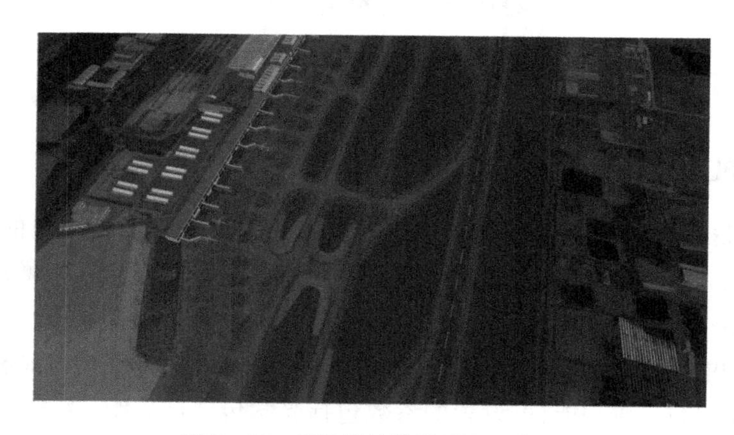

图 7－16　吊舱航拍模拟画面示意图

1. 视场角信息设置

支持对成像视场角的大小、近距、远距、成像分辨率、位置变化设置等信息设置功能，如图 7－17 所示。

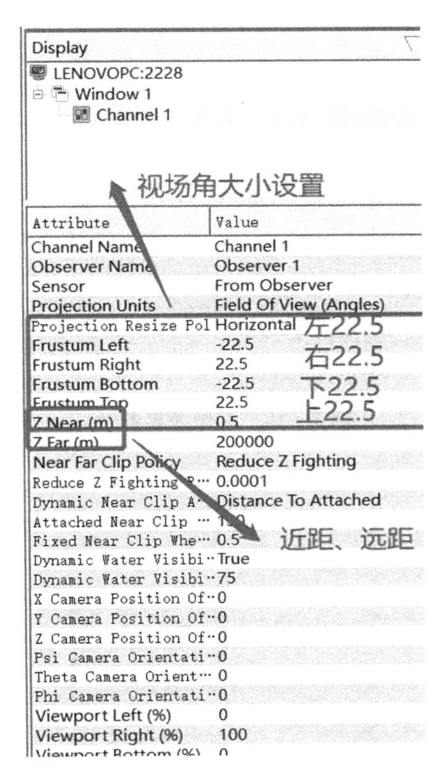

图 7－17　视场角大小设置

2. 成像效果参数

传感器参数主要分为成像效果参数、探测器参数、光学参数、电子器件参数，通过修改传感器效果参数来影响不同传感器模式效果。以下为各个类型参数说明。

（1）传感器模拟成像效果参数有：启用过滤器效果、启用噪声、启用自动增益/手动增益、启用单色相机模式、启用运动模糊，如图 7－18 所示。

（2）传感器探测器参数有：驻留时间、噪声等效温差（NEDT）、固定模式比、泊松系数、F 数、水平探测器间距、垂直探测器间距、背景温度、探测器像素填充、FPA 可操作性，如图 7－19 所示。

（3）光学参数有光圈形状、光圈纵横比、光圈直径、模糊光斑直径、F 数、焦距长度、光晕阈值、光晕半径、光晕强度，如图 7－20 所示。

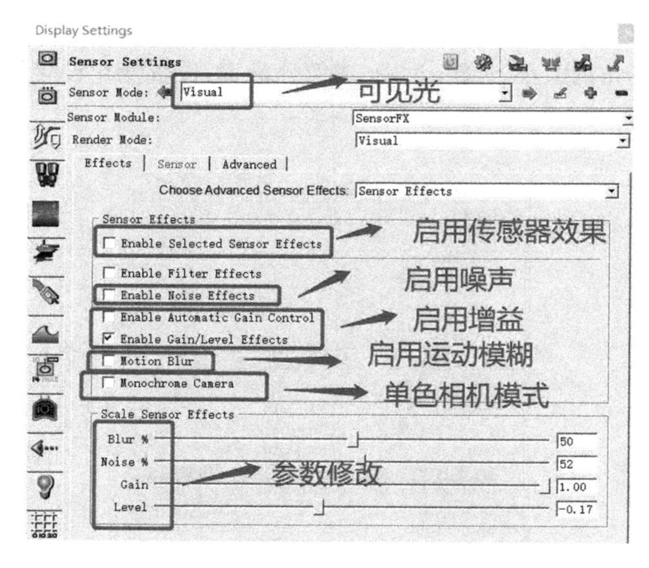

图 7 – 18　成像效果参数

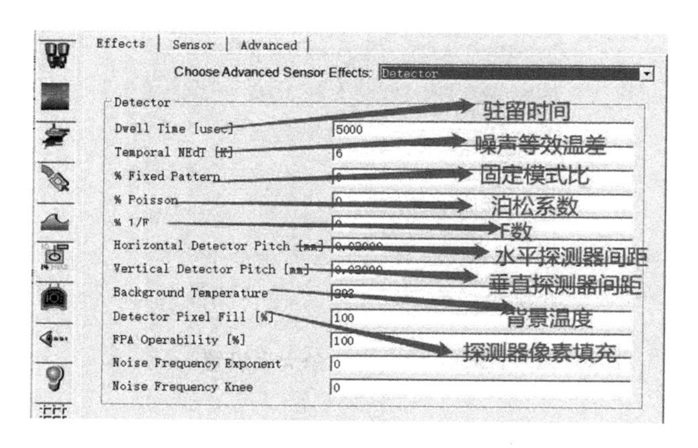

图 7 – 19　探测器参数

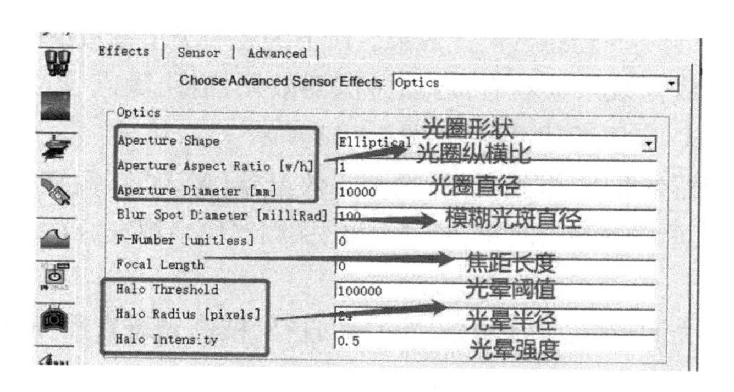

图 7 – 20　光学参数

7.3.5　接口设计

目标生成与规划软件向外部平台输出的数据包括：直升机平台数据、无人机光电吊舱相机参数和三个图像数据。

1. 直升机平台数据

直升机平台数据包括：当前直升机的经度、纬度、高度、航向角、滚转角、俯仰角、运动速度和加速度等，接口参数定义如表 7 – 4 所示。

表 7 – 4　直升机平台数据接口

序号	数据名称	数据类型	数据范围	单位	备注
1	经度	Double	– 180 ~ 180	(°)	无
2	纬度	Double	– 90 ~ 90	(°)	无
3	高度	Double	0 ~ 5 000	(°)	无
4	航向角	Double	0 ~ 360	(°)	无
5	滚转角	Double	– 10 ~ 10	(°)	无
6	俯仰角	Double	– 30 ~ 30	(°)	无
7	东向速度	Double	0 ~ 270	km/h	无
8	北向速度	Double	0 ~ 270	km/h	无
9	地向速度	Double	0 ~ 60	km/h	无

2. 光电吊舱相机参数

光电吊舱相机参数主要包括当前吊舱标识符，相机经度、纬度、高度、航向角、滚转角、俯仰角、焦距、横向分辨率、纵向分辨率、X 轴视场角、Y 轴视场角，接口参数定义如表 7 – 5 所示。

表 7 – 5　相机数据接口

序号	数据名称	数据类型	数据范围	单位	备注
1	相机标识符	Char[ ]	50	—	标识相机唯一性和无人机绑定
2	经度	Double	– 180 ~ 180	(°)	相机位置
3	纬度	Double	– 90 ~ 90	(°)	相机位置
4	高度	Double	0 ~ 5 000	(°)	相机位置
5	航向角	Double	0 ~ 360	(°)	相机姿态
6	滚转角	Double	0 ~ 360	(°)	相机姿态
7	俯仰角	Double	– 90 ~ 90	(°)	相机姿态
8	相机焦距	Double	4.9 ~ 49	mm	—
9	相机横向分辨	Int	1 920	—	—

表 7 -5(续)

序号	数据名称	数据类型	数据范围	单位	备注
10	相机纵向分辨率	Int	1 080	—	—
11	相机 X 轴视场角	Double	5.62 ~ 53.2	(°)	—
12	相机 Y 轴视场角	Double	4.2 ~ 53.2	(°)	—

3. 吊舱图像

无人机侦察图像采用网络通信接口进行传输，基本过程如图 7 -21 所示。

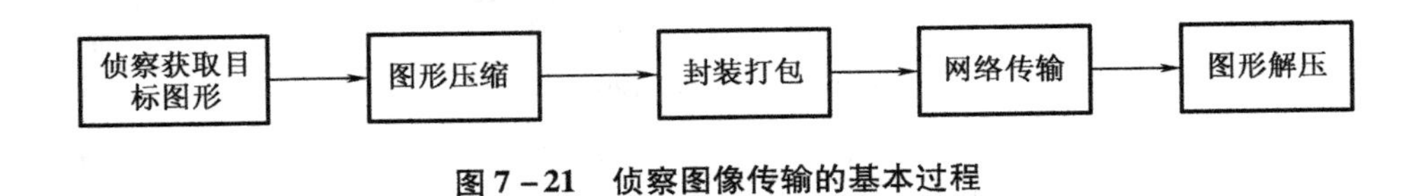

图 7 -21　侦察图像传输的基本过程

吊舱图像数据接口如表 7 -6 所示。

表 7 -6　吊舱图像数据接口

序号	数据名称	数据类型	数据范围	备注
1	所属平台 ID	Int	1 000 ~ 2 000 种	标识归属平台
2	图片 ID	Short	—	标识图片唯一性
3	图片格式	Short	0 或 1	bmp、jpg
4	图片总帧数	Int	—	—
5	图片当前帧 Index	Int	—	0 ~ 总帧数
6	当前帧长度	Int	0 ~ 2 048 帧	0 ~ 2 048 帧
7	当前帧内容	char[2048]	—	—

为了高效地传输图像文件，拟采用当前主流的图形压缩方法对文件做压缩处理。JPEG 标准是“联合图像专家组”(joint photographic expert group)为连续色调(灰度或彩色)静态图像压缩制定的通用国际标准。JPEG 采用 DCT 变换、量化和霍夫曼型的熵编码，优点是实现简单、运算速度快。

7.3.6　扩展性支持

为了增加算法真实性验证功能，在数据定义过程中预留了真实摄像头设备图像获取接口，完全替换仿真图像数据，以实现验证识别与定位功能验证能力，吊舱图像处理过程如图 7 -22 所示。

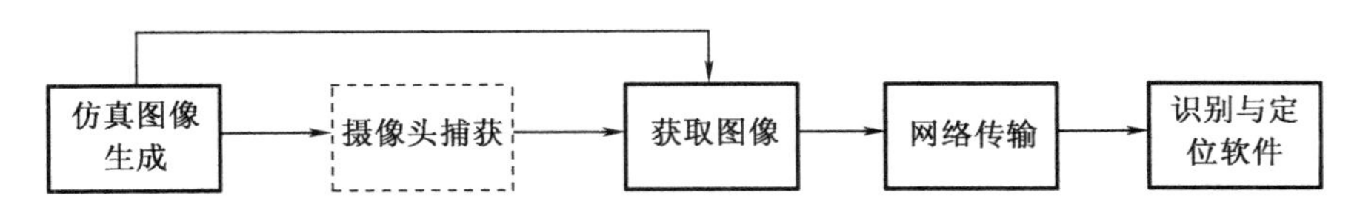

图7－22　吊舱图像处理过程

其中,虚线框内为预留功能,识别与定位软件可直接从目标生成与规划软件中获取识别图像,也可通过真实吊舱摄像头获取识别图像,完成识别与定位功能。

7.4　无人机机载光电图像识别与定位模块

7.4.1　无人机实时视频接入

无人机采用四旋翼飞机进行真实场景探测,将无人机吊舱视频通过网络实时发送到地面站设备,由地面站平台对三架无人机数据进行图像识别、定位分析和威胁目标评估工作。

通过地面站设备模拟直升机功能,通过 WIFI 网络接收 3 架四旋翼无人机发送的图像信息和吊舱信息。采用以 ROS 为准的通信方案,在 ROS 支持分布式运行节点的情况下,1 号无人机、2 号无人机、3 号无人机可以通过 ROS 节点消息订阅的方式相互通信。目前,在研究主流中的 ROS1 采用的是中心点通信方式,通过唯一的 ROS Master 作为整个 ROS 节点的中心,组成一个星状网络结构。ROS Master 是和其他节点的通信桥梁。与一般硬件设定的中心组网方案不同的是,在 ROS 组网中可随时通过控制指令切换担任 ROS master 的节点,保证组网不会在单一节点失效的情况下直接崩溃。一般情况下,ROS Master 节点在无人机系统中是以地面站来担任的,也就是说在地面站不被直接打击的情况下,无人机编队系统将会一直生效并执行任务。即使地面站节点因其他因素从组网中脱离,无人机组本身也可随时担任 ROS Master 节点,执行返航等后备方案。如图 7－23 所示为地面站终端和 3 架无人机网络框架图。

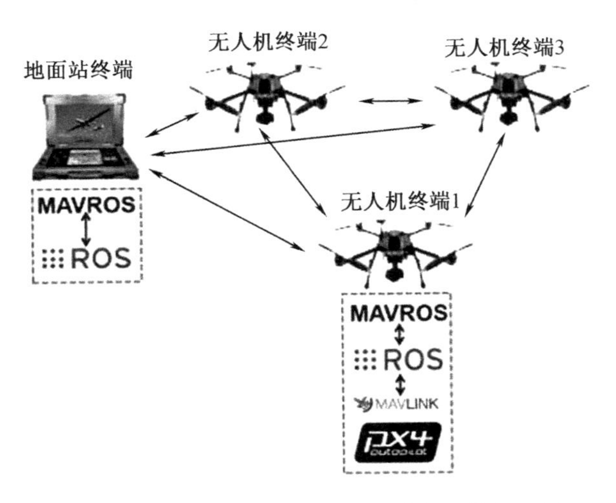

图7－23　地面站终端和3架无人机网络框架图

7.4.2 多目视觉定位算法

多目视觉定位算法是以直升机和无人机协同作战环境为背景，开展多架无人机侦察识别定位目标，直升机融合处理通过数据链传输的无人机侦察数据，实现高精度目标定位，多目视觉定位原理如图 7－24 所示。

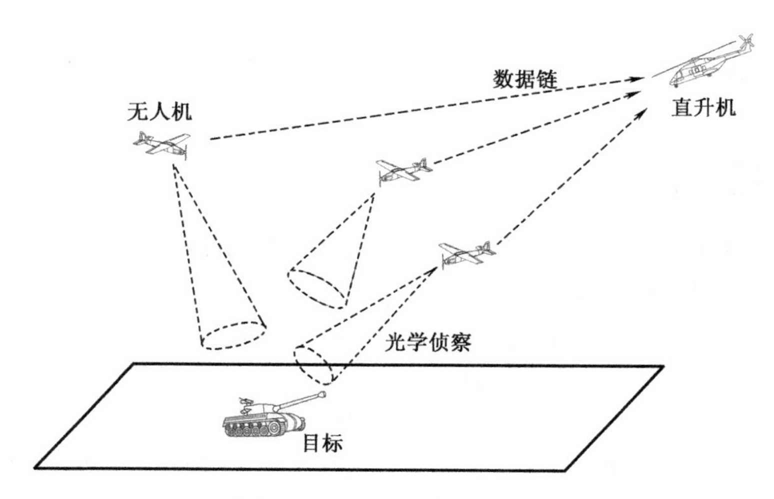

图 7－24 多目视觉定位原理

1. 无人机通过机载光学载荷对目标进行探测

无人机拍摄的视频如图 7－25 所示，通过机器学习方法完成目标自动检测识别。定义第 n 架无人机（$n=1\sim N$，共 N 架侦察无人机）探测到的目标图像坐标为（x_n^{Img}，y_n^{Img}），焦距为 f_n，像元尺寸为α_n。由于镜头存在畸变，影响目标定位精度，因而需要对目标图像坐标使用畸变校正算法进行校正。

$$(x'^{\mathrm{Img}}_n, y'^{\mathrm{Img}}_n) = w(x_n^{\mathrm{Img}}, y_n^{\mathrm{Img}})$$

式中，w 为畸变校正函数，（x'^{Img}_n，y'^{Img}_n）为校正完的目标图像坐标。

 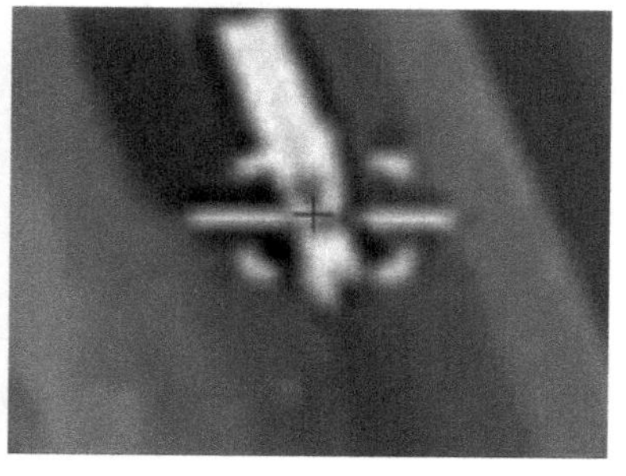

图 7－25 无人机拍摄的视频

2. 对多目视觉场景建模

定义侦察设备相对于无人机的姿态和方位角为 $R_{EO}^{UAV}(A_{xi},A_{yi},A_{zi})$。该无人机在$i(i=1,2,\cdots)$时刻的经度、纬度和高度分别为$Lon_i$、$Lat_i$、$H_i$处的相对气压,高度为 $P_{UAV}(Lon_i,Lat_i,H_i)$,姿态和航向角为 $R_{UAV}(\theta_i,\gamma_i,\varphi_i)$。计算获得地理坐标系下侦察载荷光轴的姿态矩阵。

$$R_i=k(P_{UAV},R_{EO}^{UAV})$$

式中 k——姿态矩阵计算函数。

多机目标高精度定位算法:根据姿态矩阵及无人机经纬度即可完成当前时刻单帧目标的信息解算,沿着无人机运动轨迹积累一段时间数据,通过视觉交汇算法,实现目标基于单机的定位:

$$P_M=\varphi([R_1,P_{\mathrm{UAV1}}],[R_2,P_{\mathrm{UAV2}}],\cdots)$$

式中 P_M——目标定位信息,包含经度、纬度、高度;

φ——单目视觉交汇算法。

但上述方法只对静止目标精度较高,且无人机的不同飞行航迹对目标解算精度也有影响。

为提高目标测量精度,首先进行多机数据时间同步,再利用同一时刻多机信息完成多目视觉交会定位,保证目标位置解算的实时性,有效提高目标定位精度,公式为

$$P_{\mathrm{M}i}=\upsilon([R_i^1,P_{\mathrm{UAV}i}^1],[R_i^2,P_{\mathrm{UAV}i}^2],\cdots,[R_i^{\mathrm{N}},P_{\mathrm{UAV}i}^{\mathrm{N}}])$$

式中 P_{Mi}——目标在t_i时刻的定位信息,包含经度、纬度、高度;

$[R_i^1,P_{\mathrm{UAV}i}^1]$——$t_i$ 时刻1号无人机的数据;

υ——多目视觉交汇算法。

7.5 态势可视化模块

态势感知可视化软件可实现自动生成战场威胁模型,在完成对目标类型检测后,要对识别的类型进行威胁模型管理和配置工作。所开发的模块具备以下功能。

(1)能够自动进行战场威胁建模,包括地空导弹、固定雷达、高炮、空中高速目标的威胁模型的建模。

(2)能够自动生成二维和三维综合态势,并能够自动生成二维和三维威胁图。

(3)能够进行接入接口管理,对相关威胁信息进行标牌管理。

(4)能够进行态势显示管理、威胁信息管理、生成态势图和威胁图,威胁图能够实现态势和威胁图的叠加。

(5)能够生成态势显示列表,并能切换全局视角和局部视角。

7.5.1 二维和三维综合态势生成功能

打开态势感知可视化软件后,会自动接收小样本目标分类检测识别软件发送的目标信息,态势感知可视化软件调用威胁评估模块,实现目标自动上显功能,态势感知可视化软件

主界面如图 7－26 所示。

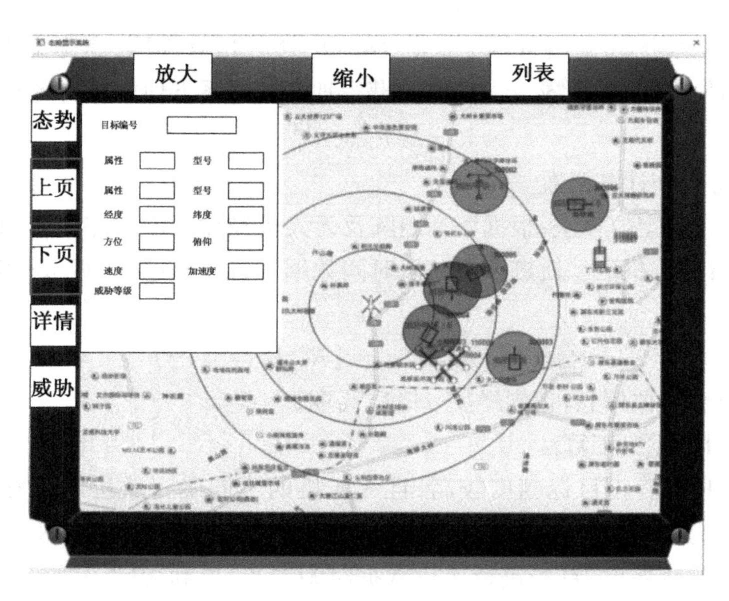

图 7－26　态势感知可视化软件主界面

打开三维可视化目标生成软件后，打开态势感知可视化软件，即可显示二维态势，如图 7－27 所示。

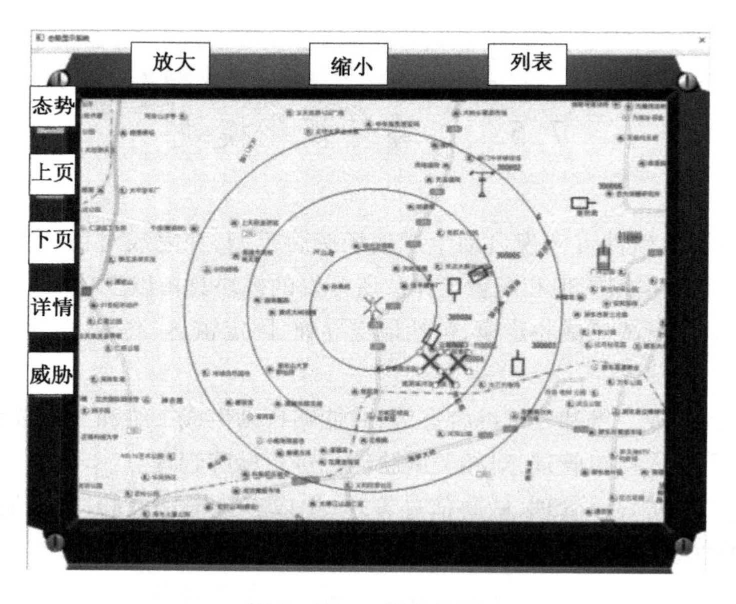

图 7－27　二维态势图

7.5.2　威胁信息标牌管理功能

目标定位和识别软件提供交互接口功能，可进行接口的修改，经过 SimDDS 网络发送给态势显示,实现对标牌的管理。交互接口定义如表 7 – 7 所示。

表 7 – 7　交互接口定义表

序号	数据名称	数据类型	数据范围	单位	备注
1	目标 ID	Char[ ]	50	—	标识目标唯一性
2	目标类型	Char	—	—	—
3	经度	Double	– 180 ~ 180	(°)	标识目标位置
4	纬度	Double	– 90 ~ 90	(°)	标识目标位置
5	高度	Double	0 ~ 10	(°)	标识目标位置
6	东向速度	Double	0 ~ 17	m/s	—
7	北向速度	Double	0 ~ 17	m/s	—
8	垂向速度	Double	0 ~ 17	m/s	—
9	目标威胁值	Double	—	—	目标威力值
10	行动意图	Char	0 ~ 3	—	侦察、机动、攻击等

打开态势感知可视化软件后,可观察有目标叠加在二维态势地图上,在目标左上角有目标标牌批号信息,标识当前目标的唯一性,如图 7 – 28 所示。

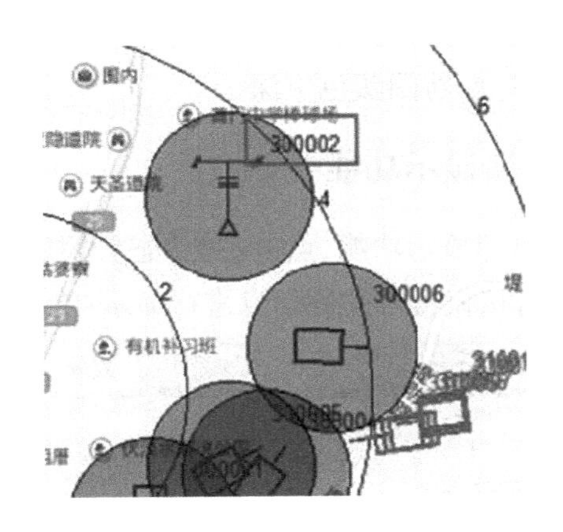

图 7 – 28　目标标牌批号信息

可点击左侧【态势】按钮,查看当前场景中所有的态势目标信息,再次点击【态势】按钮,可对目标信息进行切换展示。点击详情,可查看目标的详细信息,点击【上页】、【下页】按钮,查看其他目标状态信息,如图 7 – 29 所示。

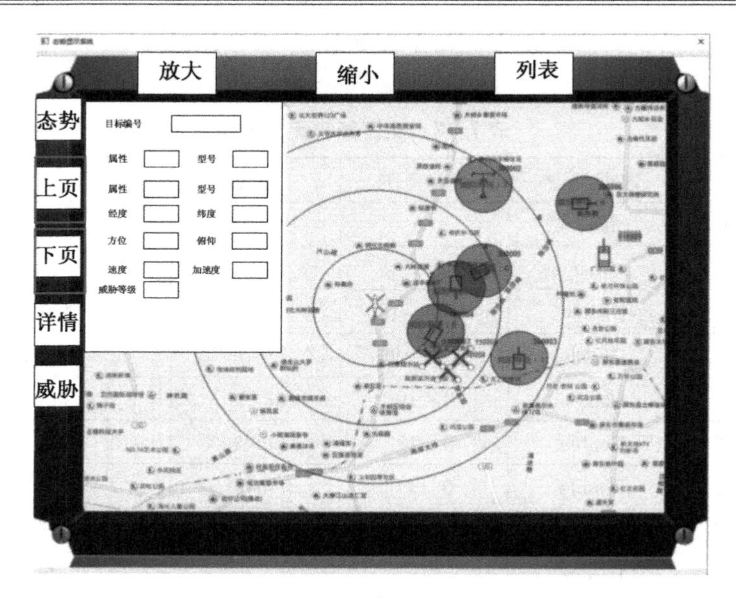

图 7-29　目标的详细信息

7.5.3　威胁信息管理与显示功能

经过目标威胁态势评估计算后，会对目标进行威胁值计算，在点击【详情】按钮后，会提示目标详细信息及对应的威胁等级。态势目标为结合威胁等级对态势目标进行威胁图计算，高威胁值的目标对应的目标威胁圈颜色更深。

7.5.4　全局/局部视角切换显示功能

态势显示系统具备态势目标显示功能，点击左侧【态势】按钮，显示态势目标列表，如图 7-30 所示。点击上方【列表】按钮可对左侧信息进行显示/隐藏。

图 7-30　态势目标显示

态势显示系统提供地图的缩放功能，可根据需要进行全局视角和局部视角切换。

7.5.5 可视化设计中的难点问题

1. 基于共享内存链表块图像传输技术

三维可视化目标生成软件具有模拟仿真三架无人机的功能，可将光学传感器探测到的图像信息发送给小样本目标分类检测识别软件。在图像传输过程中发现3个摄像头通道图片数据量还是不小，一张传感器通道图片是128～150 kb，3张图像是384～450 kb，图像数据传输按照25帧计算，1 s传输数据为

$$384\times25/1\,024=9.375\ \mathrm{Mb}$$

$$450\times25/1\,024=10.986\ \mathrm{Mb}$$

这个数据量对于一般的程序来说还是不小，故要求开发工程师具备比较高的编码能力，既要保证系统稳定性，还要保证图像数据实时发送到外部平台，难度比较大。在图像传输过程中，若采用UDP协议进行实现，在数据传输过程中就要对接收到的数据进行图片完整性校验，即频繁地进行数据校验。若采用TCP协议进行传输，则图像完整性得到了保证，传输效率略有下降，但在技术要求上须具备高的把控性。不管是采用UDP协议还是TCP协议都要满足同时收到3张图像后进行目标的识别和定位功能。在程序设计过程中，针对这些问题进行了分析评估，最后选择了共享内存进行图像数据传输，并实现了共享内存块链表以满足图像传输的要求。表7－8所示为不同传输功能对比。

表7－8　不同传输功能对比

对比项	UDP协议	TCP协议	共享内存块链表
数据校验	需要	不需要	不需要
传输效率	高	相对低	高
丢包性	易丢包、阻塞	不丢包、阻塞	不丢包、不阻塞
代码要求	高	高	低
跨计算机	满足	满足	满足

为解决进程间大的数据通信问题，设计了共享内存块链表，共享内存块链表底层采用共享内存进行设计开发，共享内存块链表由一块大的共享内存空间组成，包括共享内存链表头和内存块数据。其中共享内存链表头保存了当前内存块使用情况和内存块占用情况，内存块数据由n个内存块组成，保存了具体的数据内容，具体如图7－31所示。

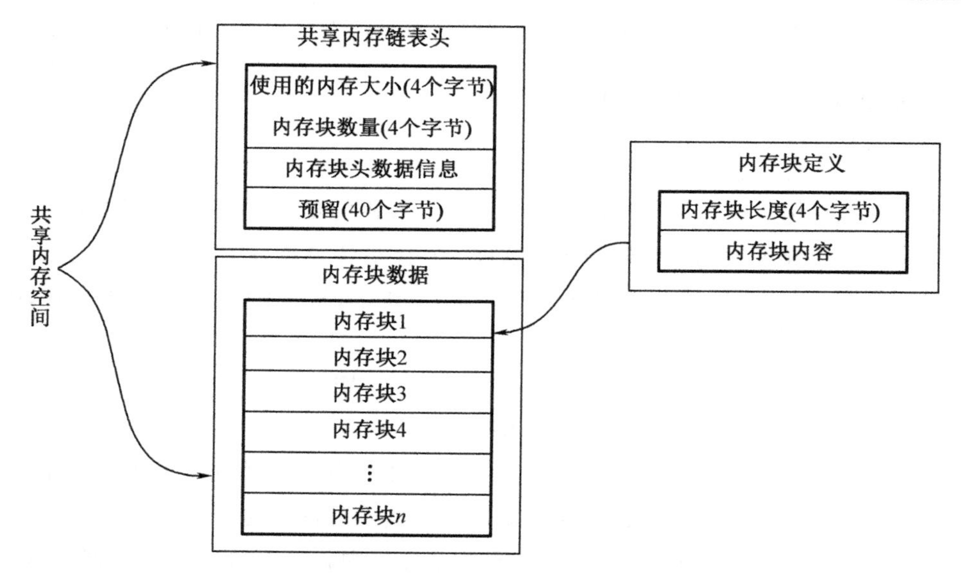

图7-31　共享内存块链表设计

对内存块的操作，采用链表的设计方法，步骤如下。

(1)共享内存链表头写入。

(2)共享内存链表头读取。

(3)尾部添加。

(4)头部读取。

共享内存块在写入和读取过程中，对整个共享内存链表进行加锁控制，以保证整个数据完整性。

2. 基于 vlc 实现 rtsp 视频流接收

四旋翼无人机在推送图像数据过程，采用 rtsp 视频流，实现高效、稳定传输。目标定位与识别软件在接收 rtsp 视频流过程中，采用 vlc 开源库实现 rtsp 视频接收，与 Qt 框架实现无缝嵌入。

vlc 的全名是 video lan client，是一个开源的、跨平台的视频播放器。vlc 支持大量的音视频传输、封装和编码格式，完整的功能特性列表可以在这里获得 http://www.videolan.org/vlc/features.html，下面给出一个简要的不完整的列表。

(1)操作系统：Windows、WinCE、Linux、MacOSX、BEOS、BSD；访问形式：文件、DVD/VCD/CD、http、ftp、mms、TCP、UDP、RTP、IP 组播、IPv6、rtsp。

(2)编码格式：MPEG *、DIVX、WMV、MOV、3GP、FLV、H.263、H.264、FLAC。

(3)视频字幕：DVD、DVB、Text、Vobsub。

(4)视频输出：DirectX、X11、XVideo、SDL、FrameBuffer。

目标定位与识别软件在实现显示无人机推送视频过程中重点解决无人机视频流的推送和图像数据解析两个问题。

无人机实现 rtsp 流数据推送，需要完成以下配置。

(1)配置 Track_ws 实现将摄像头数据采集转换 ROS。

(2)安装配置 encode2rtsp 软件并启用相应服务,如图 7 - 32 所示为无人机 rtsp 流配置流程。

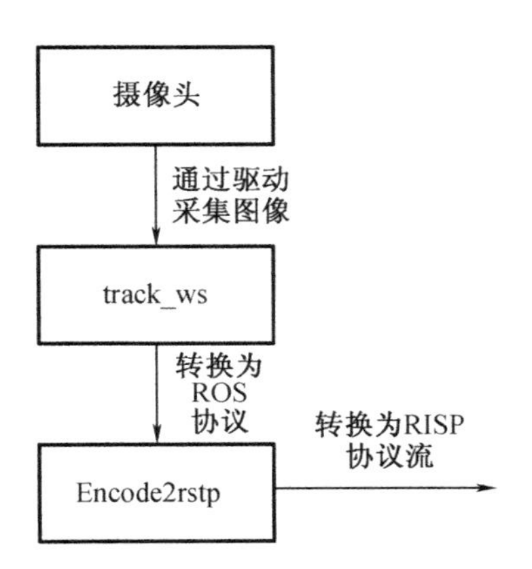

图 7 - 32　无人机 rtsp 流配置流程

rtsp 流配置过程如下。

(1)使用 NoMachine 连接无人机,用户名:amov,密码:amov,连接 ip:192.168.1.64。

(2)安装 encode2rtsp,通过 U 盘将 encode2rtsp 拷贝到/home/amov/ amovlab_ws/src,修改镜像下载地址,编辑/etc/apt/sources.list(将 https 改为 http),配置镜像下载地址并更新系统包:

```
$ sudo apt update
$ sudo apt -get install libgstrtspserver -1.0 -0 gstreamer1.0 -rtsp
$ sudo apt -get install libgirepository1.0 -dev
$ sudo apt -get install gobject -introspection gir1.2 -gst -rtsp -server -1.0
```

(3)修改监听 topicName,编辑/home/amov/amovlab_ws/src/encode2rtsp/launch 目录下的 encode2rtsp_demo.launch 文件,修改主题名称。

(4)修改视频输出窗口大小,将大小改为 640X360,输入/home/amov/ amovlab_ws/ src/ encode2rtsp/config/ encode_config.yaml。

(5)保存退出。

(6)启动摄像头驱动输入/home/amov/track_ws/src/ px4_command/sh/ sh_for_P200/fly _tracking_outdoor.sh。

(7)启动 rtsp 服务,输入 roslaunchencode2rtspencode2rtsp_demo.launch。

(8)使用 vlc Player.exe 进行 rtsp 流测试。

为提高系统运算速度,采用 vlc 库解析无人机视频图像数据。基于 vlc 库封装了以下功能,以实现播放器功能,所用函数见表 7 - 9。

表 7 - 9　解析无人机视频图像数据所使用的 Vlc 库函数

序号	功能函数	说明
1	NewMedia	创建 vlc 实例,并初始化 rtsp 视频流
2	SetPlayerStatus	设置播放器的窗口句柄
3	Play	播放
4	Pause	暂停
5	Stop	停止
6	IsPlaying	判断是否在播放

3. 基于 Qpainter 实现多种样式图标显示

在二维态势上显示的图标包括:地图比例环(含比例尺)、飞机图标(支持旋转)、地面目标、空中目标、水面目标、威胁环等其他目标。图标绘制上采用 QPainter 实现绘制线、圆、图片、绘图元素平移、旋转、缩放等功能。同时与二维地图叠加,实现从地理坐标到屏幕坐标的转换,实现快速展示,如图 7 - 33 所示。

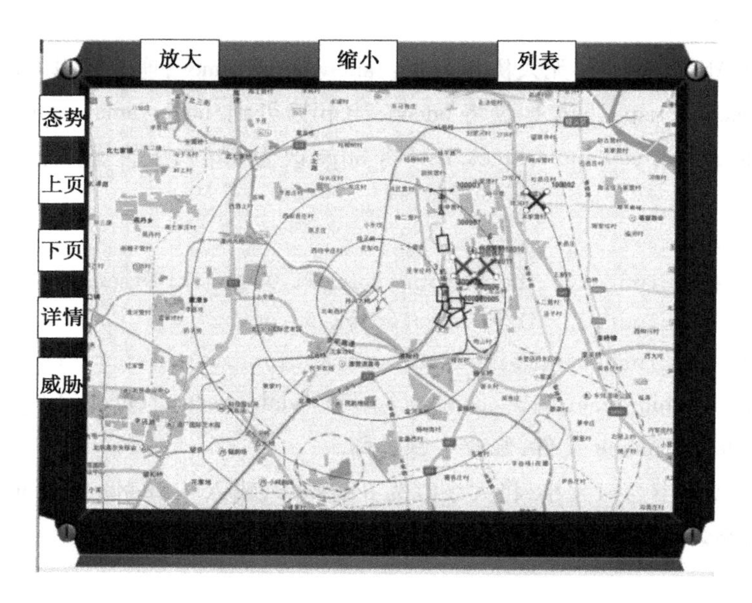

图 7 - 33　二维态势地图

4. 基于 SimDDS 分布式网络数据通信

SimDDS 分布式网络数据通信中间件为轻量级实时 DDS 中间件,提供分布式仿真框架,可快速实现多系统间快速互联,通过中间件组件实现订阅/发布功能,如图 7 - 34 所示为 SimDDS 使用框架。

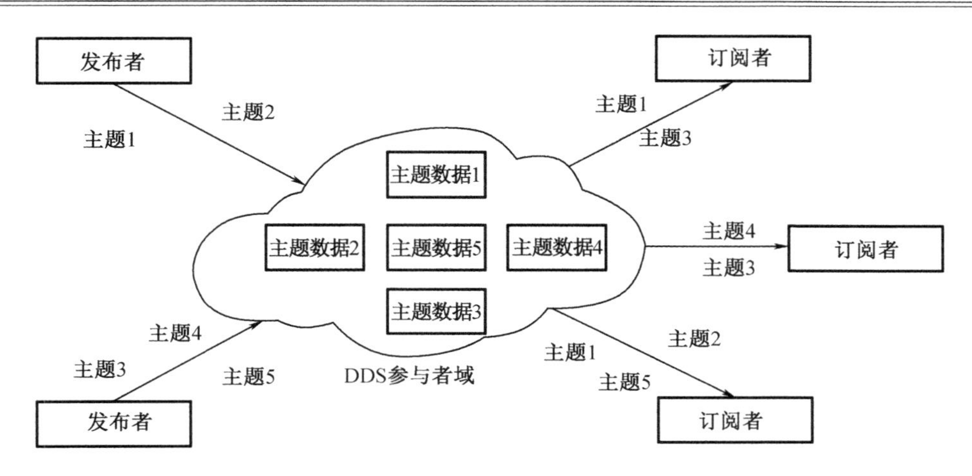

图 7 – 34 SimDDS 使用框架

在 SimDDS 分布式仿真框架中,系统应用程序由发布者或者订阅者来进行主题数据的发布和订阅。所有发布者(Publisher)可以发送不同的主题消息到 DDS 参与者域中,订阅者可根据需要订阅主题消息,将数据从主题数据域中获取到。通过 SimDDS 中间件可建立 m 个主题数据到 n 个系统间通信。

SimData 中间件软件的关键模型类:

(1)SimDomainParticipant 类为域参与者,管理所有发布者对象、订阅者对象,创建主题消息。

(2)SimPublisher 为数据发布者,发布主题数据。

(3)SimSubscriber 为数据订阅者,从 DDS 域中订阅特定的主题消息数据。

(4)SimTopic 为主题消息,用来标识特定消息类型,和固定的数据内存结构关联。

图 7 – 35 展示了 SimDDS 中间件的主体框架结构。其流程如下。

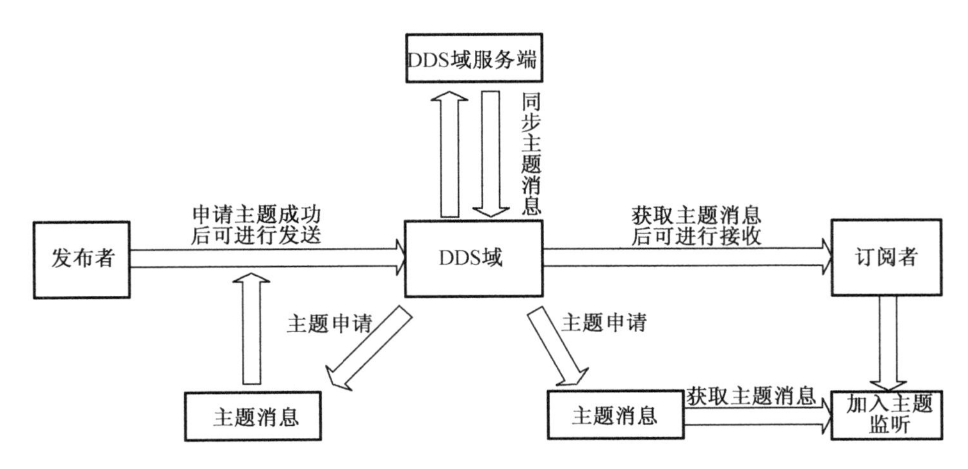

图 7 – 35 SimDDS 主体框架

(1)所有域参与者使用相同的域 ID 进行初始化。

(2)主题申请,通过 SimDomainParticipant 域参与者进行消息申请。

(3)创建发布者,并关联 SimDomainParticipant 域参与者,通过发布者发送申请成功的主题消息。

(4)创建订阅者,并关联 SimDomainParticipant 域参与者,通过订阅者添加要订阅的主题消息。

参 考 文 献

[1] 吴捷,胡盛华,乔莎莎,等."忠诚僚机"式有人/无人机协同作战概念与任务管理技术研究[J].航空电子技术,2021,52(2):27-31.

[2] 罗雪丰.美陆军航空兵直升机航电系统智能化应用研究[J].直升机技术,2019(1):53-57.

[3] JAMESON S,STONEKING C,COOPER D G,et al. Data Fusion for the Apache Longbow: Implementation and Experiences [C]. AHS International 61st Annual Forms Proceedings,2005.

[4] PAWLOWSKI A M,GERKEN P M. Simulator,workstation,and data fusion componentsfor onboard/offboard multi-target multi-sensor fusion[C]//Proceedings of the 17th Digital Avionics Systems Conference, Seattle, IEEE, 1998.

[5] KRIZHEVSKY A ,SUTSKEVER I,HINTON G. ImageNet classfication with deep convolutional neural networks[J]. Advances in Neural Information Processing Systems,2012,25(2):1106-1114.

[5] HE K ,ZHANG X,REN S,et al . Deep residual learning for image recognition[C]//Proceedings of IEEE Conference on Computer Vision and Pattern Recogniton,Las Vegas: IEEE,2016.

[7] CHOLE F. Xception:Deep learing with depthwise separable convolutions[C]//Proceedings of the IEEE conference on computer vision and pattern recognition,2017.

[8] JADERBERG M, SIMONYAN K, ZISSERMAN A, et al. Spatial transformer networks [C]. Proceedings of the 28th International Conference on Neural Information Processing Systems. Montreal, Canada: MIT Press, 2015.

[9] DAI J, QI H, XIONG Y, et al. Deformable convolutional networks[C]//16th IEEE International Conference on Computer Vision. Venice, Italy, IEEE, 2017.

[10] JIE H, LI S, GANG S, et al. Squeeze-and-excitation networks[J]. IEEE Transactions on PatternAnalysis and Machine Intelligence, 2020, 42(8): 2011-2023.

[11] WOO S, PARK J, LEE J Y, et al. CBAM: Convolutional block attention module[M]. 15th European Conference on Computer Vision. Munich. Cham: Springer Verlag, 2018.

[12] 向南,豆亚杰,姜江,等.马赛克战概念下作战模块应急重构自主决策[J].指挥与控制学报,2020, 6(3): 223-228.

[13] 浦同争,何敏,宗容,等.基于改进 CREAM 的无人机操作员人因可靠性分析[J].指挥与控制学报,2019,5(3): 236-242.

[14] 赵瑜,陈志坤,杨春. 基于开源数据的军事领域知识图谱构建方法[J]. 指挥信息系统与技术,2019, 10(3): 64-69.

[15] 吴立尧,韩维,张勇,等. 有人/无人机编队指挥控制系统结构设计[J]. 系统工程与电子技术,2020, 42(8): 1826-1834.

[16] 蔡明春,吕寿坤. 智能化战争形态及其支撑技术体系[J]. 国防科技,2017,38(1): 94-98.

[17] 时东飞,蔡疆,黄松华,等. 美国空军"战斗云"作战理念及启示[J]. 指挥信息系统与技术,2017, 8(3): 27-32.

[18] 范彦铭. 无人机的自主与智能控制[J]. 中国科学:技术科学,2017,47(3): 221-229.

[19] 蒋琪,葛悦涛,张冬青. "动态"与"分布":空中力量建设的"新"方向[J]. 航天电子对抗,2016, 32(1): 4-7.

[20] 宋琛,张蓬蓬. 有人/无人协同制空作战的特点及影响[J]. 飞航导弹,2019,49(12): 78-81.

[21] SARKESAIN J F, O′BRIEN T W. A framework for achieving dynamiccyber effects through distributed cyber command and control/battle management(C - 2/BM)[J]. Modeling and Simulation Support for System of Systems Engineering Applications,2015, 20:531-564.

[22] LUMMUS R. Mission battle management system fighter engagement manager concept[C]//Proceedings of Symposium and Exposition Conference on AIAA International Air and Space,Ohio,USA,2003.

[23] LOE R,MARACCHION C,DROZD A. Semi-autonomous managementof multiple ad-hoc teams of UAVs[C]//2015 IEEE Symposium on Computational Intelligence for Security and Application,New York,USA,2015.

[24] 周文卿,朱纪洪,匡敏驰. 一种基于群体智能的无人空战系统[J]. 中国科学,2020,50(3): 363-374.

[25] 刘蓉,杨帆,张衡. 基于改进混沌蚁群算法的无人机航路规划[J]. 指挥信息系统与技术,2018,9(6): 41-48.

[26] 陈侠,刘永泰. 多UAV攻击移动目标的协同任务分配与航迹规划[J]. 火力与指挥控制,2020,45(9): 35-40.

[27] 孙佳琛,王金龙,陈瑾,等. 群体智能协同通信:愿景、模型和关键技术[J]. 中国科学,2020,50(3):305-317.

[28] 汪汝根,李为民,刘永兰,等. 无人机集群组网任务分配方法研究[J]. 系统仿真学报,2018,30(12): 4794-4801.

[29] 段海滨,张岱峰,范彦铭,等. 从狼群智能到无人机集群协同决策[J]. 中国科学,2019,49(1): 115-118.

[30] LIANG L,YE H,LI G Y. Spectrum sharing in vehicular networks based on mu1Li-Agent reinforcement learning[J]. IEEE Journal on Selected Areas in Communications,2019,37

(10):2282-2292.

[31] 吴寅.基于机器视觉的航空显示组件 LCD 缺陷检测技术研究[D].南京:南京航空航天大学,2012.

[32] 李治玮.基于嵌入式 Linux 的低照度图像识别系统研究[D].兰州:兰州理工大学,2007.

[33] 甘前超.基于 DM6446 的非合作目标位姿估计算法研究[D].哈尔滨:哈尔滨工业大学,2011.

[34] 吴蔚,李晓冬,许莺.无人机侦察图像情报处理与运用关键技术研究[C]//第四届中国指挥控制大会论文集,北京,2016.

[35] PIZER S M, AMBURN E P, AUSTIN J D, et al. Adaptive histogram equalization and its variations[J]. Computer Vision Graphics and Image Processing, 1987, 39(3): 355-368.

[36] CHANG Y, JUNG C, KE P, et al. Automatic contrast-limited adaptive histogram equalization with dual gamma correction[J]. IEEE Access, 2018, 6:11782-11792.

[37] LAND E H. The retinex[J]. American Scientist, 1964, 52(2): 247-253, 255-264.

[38] JOBSON D J, RAHMAN Z, WOODELL G A. Propertiesand performance of a center/surround retinex[J]. IEEE Transactions on Image Processing, 1997, 6(3): 451-462.

[39] JOBSON D J, RAHMAN Z, WOODELL G A. A multiscaleretinex for bridging the gap between color images andthehuman observation of scenes[J]. IEEE Transactions on Image Processing, 1997, 6(7): 965-976.

[40] ZHANG S, ZENG P, LUO X, et al. Multi-scale retinex with color restoration and detail compensation[J]. Journal of Xi'an Jiaotong University, 2012, 46(4): 32-37.

[41] WANG S, ZHENG J, HU H M, et al. Naturalness preserved enhancement algorithm for non-uniform illumination images[J]. IEEE Transactions on Image Processing, 2013, 22(9): 3538-3548.

[42] 曹延虎.基于 Retinex 方法的无人机影像阴影去除应用研究[D].西安:西安科技大学,2017.

[43] 黄宇晴,丁文锐,李红光.基于图像增强的无人机侦察图像去雾方法[J].北京航空航天大学学报,2017,43(03):592-601.

[44] LIU X, ZHANG H, CHEUNG Y M, et al. Efficient single image dehazing and denoising: An efficient multi-scale correlated wavelet approach[J]. Computer Vision and Image Understanding, 2017, 162:23-33.

[45] 闫贝贝,刘皓挺,王军龙,等.小波域彩色图像增强在无人机视觉导航中的应用[C]//新型导航技术及应用探讨会摘要集.苏州,2015.

[46] DONG X, WANG G, PANG Y, et al. Fast efficient algorithm for enhancement of low lightingvideo[C]//IEEE International Conference on Multimedia and Expo, 2011:1-6.

[47] IGNATOV A, KOBYSHEV N, TIMOFTE R, et al. DSLR-Quality photos on mobile de-

vices with deepconvolutional networks[C]// IEEE International Conference on Computer Vision,2017:3277-3285.

[48] 翁子寒. 基于深度学习的微光条件下图像增强算法[J]. 微型电脑应用,2021,37(10):118-121.

[49] 郭昌,周务员,刘皓挺. 航拍图像质量评价及其在图像增强中的应用[J]. 计算机仿真,2020,37(04):366-370.

[50] 李昱祚. 低照度图像增强算法研究[D]. 哈尔滨:哈尔滨理工大学,2020.

[51] MA L, LIU R, ZHANG J, et al. Learning deep context-sensitive decomposition for low-light image enhancement[J]. IEEE Transactions on Neural Networks and Learning Systems,2022,33(10):5666-5680.

[52] LI C Y,GUO C,CHEN C L. Learning to enhance low-light image via zero-reference deep curve estimation[J]. IEEE transactions on pattern analysis and machine intelligence, 2022,44(8):4225-4238.

[53] 赵露露. 有人/无人机协同互操作性研究[J]. 物联网技术, 2015, 5(5):59-61.

[54] 韩志钢. 美军有人直升机与无人机协同技术发展及启示[J]. 电讯技术, 2018, 58(1):113-118.

[55] 李五洲,胡雷刚,王峰. 美军直升机与无人机蜂群协同作战使用分析[J]. 军事文摘, 2020(7):29-32.

[56] 张旭东,吴利荣,肖和业,等. 由美军作战概念出发的有人机/无人机智能协同作战解析[J]. 无人系统技术, 2020, 3(4):91-96.

[57] 申超, 李磊, 吴洋,等. 美国空中有人/无人自主协同作战能力发展研究[J]. 战术导弹技术, 2018, 1(3):16-21.

[58] 陈宗基,魏金钟,王英勋,等. 无人机自主控制等级及其系统结构研究[J]. 航空学报, 2011, 32(6):1075-1083.

[59] 孙盛智, 孟春宁, 侯妍,等. 有人/无人机协同作战模式及关键技术研究[J]. 航空兵器, 2021, 28(5):33-37.

[60] 王子熙. 美军有人直升机与无人机的协同作战[J]. 飞航导弹, 2014(7):61-66.

[61] 杜梓冰,张立丰,陈敬志,等. 有人/无人机协同作战演示验证试飞关键技术[J]. 航空兵器, 2019, 26(4):75-81.

[62] 张杰勇,钟赟,孙鹏,等. 有人/无人机协同作战指挥控制系统技术[J]. 指挥与控制学报, 2021, 7(2):203-214.

[63] 罗雪丰, 雷咏春,范俊. 国外有人直升机与无人机协同研究综述[J]. 直升机技术, 2018, 3:61-67.

[64] 姜林林. 美国先进无人机战法演练新进展[N/OL]. 2021 -03 -12 https://baijiahao.baidu.com/s? id=1693810065937835733&wfr=spider&for=pc.

[65] 张旭东,孙智伟,吴利荣,等. 未来有人机/无人机智能协同作战顶层概念思考[J]. 无人系统技术, 2021.4(2):62-68.

[66] 顾海燕,徐弛. 有人/无人机组队协同作战技术[J]. 指挥信息系统与技术, 2017, 8(6):33-41.

[67] 陈宣友. 美陆军未来攻击侦察机将通过空射无人机和远程弹药摧毁敌防空[N/OL]. 2020-05-06. http://mp. ofweek. com/aerospace/a745693028626.

[68] JUNE, FARRELL W J, JAMESON S, et al. Shared situation awareness for Army applications[J]. Proceedings of National Symposium on Sensor & Data Fusion, 2003. DOI:http://dx. doi. org/.

[69] 王琳,辛冀,高超. 有人/无人协同作战中直升机的作用分析[J]. 直升机技术, 2021(1):63-67.

[70] 谭勇,谢志航,范怡. 也谈无人机协同作战[J]. 现代军事, 2016(6):59-67.

[71] 杜壮,刘刚. 有人机与无人机协同作战系统关键技术研究[J]. 科技创新与应用, 2018(24):139-140.

[72] 陈侠,乔艳芝. 无人机任务分配综述[J]. 沈阳航空航天大学学报, 2016, 33(6):1-7.

[73] 韩京清. 自抗扰控制技术:估计补偿不确定因素的控制技术[M]. 北京:国防工业出版社,2008.

[74] 徐志伟. 美国陆军的一万架直升机和无人机(下)[J]. 坦克装甲车辆, 2017(13):29-33.

[75] 叶利军. 基于SWOT的战场态势辅助决策分析[J]. 信息与电脑, 2017(6):61-63.

[76] 裴晓黎. 美军战场态势一致性对海战场态势图体系构建的启示[J]. 指挥控制与仿真, 2012, 34(3):67-71.

[77] 赵慧赟,张东戈. 战场态势感知研究综述[C]. 第三届中国指挥控制大会. 2023, 8:569-574.

[78] 蒋超, 崔玉伟, 王辉. 基于图像的无人机战场态势感知技术综述[J]. 测控技术, 2021, 40(12):14-19.

[79] 沈镒峰. 基于视觉的无人机态势感知中目标要素提取方法研究[D]. 长沙:国防科学技术大学,2014.

[80] 肖圣龙,石章松,吴中红. 现代信息条件下的战场态势感知概念与技术[J]. 舰船电子工程, 2014, 34(11):13-15.

[81] 吴立珍,沈林成,牛轶峰,等. 无人机战场环境感知与理解技术研究[J]. 系统仿真学报, 2010,22(S1):79-84.

[82] 王建文. 基于深度学习的运动目标跟踪算法的研究[D]. 济南:齐鲁工业大学, 2021.

[83] 陈云秋,周燕,俞育新. 海战场信息融合系统的态势评估与威胁分析[J]. 舰船电子工程, 2004, 24(6):1-3.

[84] 王闯,李松,姜浩博,等. 防空反导智能战场态势估计研究[J]. 火力与指挥控制, 2020, 45(3):7-13.

[85] 王永利,谢策,张永亮,等. 态势认知总体框架及其关键技术[J]. 指挥信息系统与技术, 2021, 12(3):7-12.

[86] 阮国庆,易侃,孙家栋,等.智能战场感知技术研究现状与发展趋势[J].指挥信息系统与技术,2022,13(3):17-22.

[87] 靳阳阳,韩现伟,周书宁,等.图像增强算法综述.计算机系统应用,2021,30(6):18-27.

[89] HE K, SUN J, TANG X. Single image haze removal using dark channel prior[J]. Pattern Analysis and Machine Intelligence, IEEE Transactions on, 2011, 33(12): 2341-2353.

[90] 刘亚伟,李小民.无人机航拍视频中目标检测和跟踪方法综述[J].飞航导弹,2016(9):53-56.

[91] 张建.基于无人机图像的车辆目标识别方法研究与实现[D].成都:电子科技大学,2019.

[92] 朱联祥,徐莉娟.基于改进 YOLOv3 – tiny 的车辆目标检测[J].信息技术与信息化,2022(3):9-12.

[93] GOVADA A, RANJANI S, VISWANATHAN A, et al. A novel approach to distributed multi – class SVM[J]. Computer Science, 2015, 2(5):1-13.

[94] 朱战立,侯森.基于 SVM 的人脸表情识别[J].软件导刊,2010,9(12):197-198.

[95] DALAL N . Histograms of oriented gradients for human detection[J]. Proc of Cvpr, 2005: 20-25.

[96] 郑能心.基于小波变换和 HOG 特征的人脸识别研究[D].杭州:浙江工商大学,2020.

[97] FREUND Y . Experiment with a new boosting algorithm[J]. Morgan Kaufmann, 1996: 148-156.

[98] SCHAPIRE R E, SINGER Y. Improved boosting algorithms using confidence – rated predictions[J]. Machine Learning, 1999, 37(3): 297-336.

[99] FREUND Y, SCHAPIRE R E. A short introduction to boosting[J]. Journal of Japanese Society for Artificial Intelligence, 1999, 14(5): 771-780.

[100] VIOLA P A , JONES M J . Rapid object detection using a boosted cascade of simple features[C]. Computer Vision and Pattern Recognition, 2001:511-518.

[101] HINTON G E ,SALAKHUTDINOV R R. Reducing the dimensionality of data with neural networks. [J]. Science, 2006, 313(5786): 504 - 507.

[102] LECUN Y , BENGIO Y , HINTON G. Deep learning[J]. Nature, 2015, 521(7553): 436-444.

[103] KRIZHEVSKY A , SUTSKEVER I , HINTON G . ImageNet classification with deep convolutional neural networks[J]. NIPS. Curran Associates Inc. 2012: 1097-1105.

[104] GIRSHICK R, DONAHUE J, DARRELL T, et al. Rich feature hierarchies for accurate object detection and semantic segmentation[C]. Proceedings of the IEEE conference on computer vision and pattern recognition. 2014: 580-587.

[105] GIRSHICK R. Fast r - cnn[C]. Proceedings of the IEEE international conference on computer vision. 2015: 1440-1448.

[106] 周晓彦,王珂,李凌燕. 基于深度学习的目标检测算法综述[J]. 电子测量技术,2017, 40(11):89-93.

[107] 陈辉东,丁小燕,刘艳霞. 基于深度学习的目标检测算法综述[J]. 北京联合大学学报, 2021, 35(3):39-46.

[108] 朱杰. 基于 YOLO 的图像目标检测算法研究[D]. 西宁:青海师范大学,2021.

[109] 马腾. 基于深度学习的表面微小缺陷精确检测方法研究[D]. 成都:电子科技大学,2021.

[110] 吴宏伟. 基于深度学习的车牌检测识别系统研究[D]. 大连:大连理工大学,2021.

[111] 罗元,王薄宇,陈旭. 基于深度学习的目标检测技术的研究综述[J]. 半导体光电,2020,41(1):1-10.

[112] 朱联祥,徐莉娟. 基于改进 YOLOv3 - tiny 的车辆目标检测[J]. 信息技术与信息化,2022(3):9-12.

[113] 杨浩然,张雨晗. 基于计算机视觉的无人机目标检测算法综述[J]. 电子测试,2022,36(4):44-45,36.

[114] 王小龙. 基于深度学习的目标检测与跟踪技术研究及应用[D]. 武汉:湖北工业大学,2020.